弘法大師 空海百話 II

The 100 Stories of KUKAI II

Saeki Sencho

佐伯泉澄

東方出版

まえがき

拙著『空海百話』（昭和五十九年初版発行、東方出版）の第二十一刷が平成十九年四月に届いた。近藤堯寛師著の『空海名言辞典』（高野山出版社）が五月に届いた。その両書を見て、「もう近くあの世に行かせて頂くのだから、お大師様のお言葉に包まれて私の人生を終らせて頂こう」と思った。そして後書の近藤師の労作、空海名言二千百四十六句を中心に、前書に因《ちな》んで百話を選び出す事とした。何せ名言が沢山に並んでいるので、割に楽に選出が出来た。前書と重複を避けて書いた。それを観て私は〝ブーム〟と唸《うな》らざるを得なかった。

真言密教の哲理が一杯に満ちていたからである。そしてフト、これに簡単な解説が付けられないだろうかと思った。満八十三歳の私には、明日の事も分からないけれど、やってみたいというのが、その時（平成十九年五月十四日）の気持ちである。

それから筑摩書房から昭和五十八年より出版された『弘法大師空海全集』全八巻を頼りに参照しつつ四十一句目まで恥ずかしい解説を書いたが、病魔に犯されて十月三日に入院し、それから四ヵ月半の入院生活が続いた。十一月にリハビリ専門の「高松協同病院」にお世話になる事になった。平成二十年一月七日に特別に個室に転室させて下さった。その時、「残りの五十九句を書くように」と言われていると感じた。

リハビリの他の時間を利用して、お大師様のお言葉に向き合う事になった。一日二句ずつの解説を計画した。この時は、『空海名言辞典』と『弘法大師空海全集』第一巻の二冊しか資料がない。直接お大師様のお言葉に接するのは有り難いけれど、自力で自分の言葉で書かねばならぬ事は難行苦行であった。しかし病院ではこれより仕方がない。毎日緊張の連続であった。かくて五十九句は病室で書いた。一句が出来ると一個の宝石を得たように嬉しかった。病院で昼間寝ないための落書の作文であるから、諸大徳のお目に触れるような代物《しろもの》ではない。ただお大師様のお言葉に包まれて、私の最後を迎えたかっただけである。

お大師様は何を私達に伝えたかったのかを尋ねたいと思って、密教の哲理を説いた肝心の句を選んだ。それだけに解説は困難であった。『空海名言辞典』の著者には深甚の謝意を申し上げたい。もしこの本がなかったら、この拙著は生まれていなかった事だろう。お大師様の御本を全部は読んでいなかったからである。広汎な分野で名言が選ばれていた。どの句を選ぶかが大切だと思った。重複が多かったり、誤った所は御叱正を賜りたい。

合　掌

平成二十一年三月

空海百話Ⅱ　もくじ

凡例

一、略称について

全集　『定本弘法大師全集《ていほんこうぼうだいしぜんしゅう》』全十巻（高野山大学密教文化研究所）

空海全集　『弘法大師空海全集《こうぼうだいしくうかいぜんしゅう》』全八巻（筑摩書房）

即身義　『即身成仏義《そくしんじょうぶつぎ》』

声字義　『声字実相義《しょうじじっそうぎ》』

二教論　『辨顕密二教論《べんけんみつにきょうろん》』

宗秘論　『五部陀羅尼問答偈讃宗秘論《ごぶだらにもんどうげさんしゅうひろん》』

付法伝　『秘密曼荼羅教付法伝《ひみつまんだらきょうふほうでん》』

十住心論　『秘密曼荼羅十住心論《ひみつまんだらじゅうじゅうしんろん》』
性霊集　『遍照発揮性霊集《へんじょうほっきしょうりょうしゅう》』（一般には略して性霊集《せいれいしゅう》ともいう）

二、引用文について

御法語は原則として長谷宝秀編『弘法大師全集』（大正十二年刊）に拠ったが、参考文献を参照し、仮名づかい、書体等を適宜現代的に改めた。又、御法語はもともと漢文体であるが、すべて訓《よ》み下し、音便による読み方を片仮名でつけ加えた。

三、解説文について

解説文の作成にあたって参考とした『弘法大師空海全集』の巻数・頁数を文末の（　）内に付した。ただし、巻数のみの箇所もある。

第一章　お大師様の人生の一端

1　精誠感《せいせいかん》ありて密教に遇《あ》う

弟子空海、性薫《しょうくん》我を勧《すす》めて還源《げんげん》を思いとす。径路《けいろ》未《いま》だ知らず。岐《みち》に臨んで幾《いく》たびか泣く。精誠感《せいせいかん》あってこの秘門《ノ》を得たり。

（性霊集七、全集三・四七六頁）

仏弟子空海は、本性清浄《ほんしょうしょうじょう》の心が内から働いて、宇宙法界の本源に帰り到達したいと思い、その道を尋ね求めて参りましたが、いろいろ教えがあってどの道を行っていいのか分からず、右か左かの分かれ道に当たってどうしたらよいのか判断がつかず、何度か涙を流して苦しみました。そこで真心をもってみ仏に正しい教法を教えてほしいと祈念して、夢のお告げで「大毘盧遮那経《だいびるしゃなきょう》（大日経）」と教えられ、奈良の久米寺の東塔にある事をお知りになって、やっとこの真言密教に出会いました――という意である。

お大師様が若い時に本物の教法を求めて悩まれた告白の一節である。「幾たびか泣く」とおっしゃっている所から察すると、真剣に命がけで道を尋ねていらっしゃった事が分かる。それが不明の点を尋ねたいと入唐求法《にっとうぐほう》の志を立てられ、その実現まで続いたのだから、いくら幸運に恵まれたからと言っても、その精神上、経済上のご苦労は察するに余りがある。それだけに密教の法に遇われた事は、また大きな喜びであったであろう。よい師恵果阿闍梨に秘法を全部出し惜しむ事なく授けられた事は、思いがけない大慶事、喜びであった事だろう。そのご苦労の結果を私達は易々《いい》と勉学させて頂ける幸せを心から感謝すべきである。

幼い時から神童と言われた位、頭が良くて努力家であった。一生を全力で走られた生涯に感激する。その真摯《しんし》なお生涯を敬慕する。（空海全集六・四一八―九頁）

2　香花を弁じて灌頂壇《かんじょうだん》に入るべし

我、先より汝《なんじ》が来ることを知りて相待つこと久し。今日相見ること大に好し大に好し。報命竭《つ》きなんと欲すれども付法に人なし。必ず須《すべか》らく速かに香花を弁じて灌頂《かんじょう》

壇《だん》に入るべし。

（請来目録、全集一・九九頁）

お大師様は延暦二十三年（八〇四）に入唐《にっとう》の大使藤原朝臣《あそん》に随《したが》って第一船に乗船し、その年の八月に福州に到着、十二月下旬長安城に入り、宣陽坊の公館に起居されていたが、翌年二月に西明寺に移られた。お大師様は西明寺の志明・談勝法師ら五、六人と同行して恵果和尚（七四六―八〇五）にお目にかかられた。

その時、和尚がその中のお大師様をご覧になって、笑《え》みを含んで喜んでおっしゃたお言葉である。

「私は前からそなたがこの地に来られるという事を知っていたので、長い事待っていました。今日会う事が出来て大変に嬉しい。大いに好かったと思います。私のこの世の寿命が尽《つ》きようとしているのに、法を伝授する大器の人が見付からず、心配していました。でもそなたを観て安心しました。間違いなくただちに香花を準備して、灌頂壇《かんじょうだん》に入るようにして下さい」と言われた――という意である。

この『請来目録』には、なお「この法はすなわち諸仏の肝心、成仏の径路なり。国に於ては城郭《じょうかく》たり。人に於ては膏腴《こうゆ》たり」とか、「法は本《もと》より言《ごん》なけれども、言にあらざれば顕われず。真如は色《しき》を絶すれども、色を待ってすなわち悟る。月指に迷うといえども提撕《ていぜい》極《きわ》まりなし。目を驚かす奇観を貴《とうと》ばず、誠にすなわち国を鎮《しず》め人を利するの宝なり。加以《しかのみならず》、密蔵深玄にして翰墨《かんぼく》に載せ難し。更に図画を仮《か》りて悟らざるに開示す」と述べられている。

これは、「この教法は諸仏の肝心要《かなめ》の大事であり、成仏する事の出来る確実な道なのです。国においては国民の安全を守る城のようなものであり、人間においては安楽に豊かに暮らす事が出来る基本の生き方を教えるものなのです」とか、「法（真理・道理）はもとより言葉を離れたものではありますが、言葉によって表現しなければ人間に通用しません。真如（絶対の真理）は物質界を越えたものではありますが、物質界を通してはじめて悟る事が出来ます。月を教える指先に迷う事があっても、その迷いから救おうという教えは数限りなく出されております。それは何も目を見驚かすような変わった教えが貴いのではなく、誠に国を鎮め、人を幸せにする教えこそが価値のある宝なのです。そのなかでも真言密教の教えは奥深く、文筆で表し尽くす事が困難なのです。そこで図画をかりて悟らない者に聞き示すのです」という意である。

この密教の教えは仏教の中でも肝心の教えであり、即身成仏の出来る近道である事。法はこれが真理であるとは自分で言わないけれども、言葉文字で表さなければ人間は認識する事が出来ない事。真実の法界は物質界を越えているけれども、悟りの仏国はこの世を離れたものではない事。月を教える指先に迷う事があっても、その間違いを正す教えは一杯にある。経典や疏《そ》には文字で密蔵の奥秘が説かれているけれども、それでも万全ではない。漏れた所は図画によって補《おぎな》うのがよい事、などを仰せられて胎蔵界・金剛界などの大曼荼羅十舗《ぽ》を作製して寄与して下さった。そして師資相承、以心伝心を重んじられた。

そして十二月十五日、恵果阿闍梨は御遷化になった。正味一年足らずの付法であった。正に奇遇と言う外はない。こうして真言密教は不思議にも我が国に伝わり、それから千二百年を超えて私達はその秘法に触《ふ》れる事が出来たのである。（空海全集二・五三二頁、五五

二―三頁、五五七―六〇頁）

3　お大師様の投花は大日如来の上に落ちた

大悲胎蔵大曼荼羅に臨んで、法によって花を抛《なげう》つに、偶然にして中台毘盧遮那如来《ちゅうたいびるしゃなにょらい》の身上に着く。阿闍梨讃《さん》して曰《いわ》く、不可思議不可思議なりと、再三讃歎したもう。

（請来目録、全集一・九九頁）

お大師様が入唐《にっとう》され、たまたま恵果阿闍梨にお会い出来た所、「必ず須《すべから》く速かに香花《こうけ》を辨《べん》じて、灌頂壇に入るべし」と仰せられて、延暦二十四年（八〇五）六月上旬に学法灌頂壇に入られた。

この日、大悲胎蔵大曼荼羅に臨《のぞ》んで法によって投花したところ、偶然にも中台八葉院の大毗盧遮那如来の仏身の上に落ちました。恵果阿闍梨は賛嘆して、「不可思議な事だ。不可思議な事だ」と再三賛嘆されました――という意である。

お大師様は余程仏様にその霊徳を認められておられたから、こういう不思議が現れたのであろう。中国にとっては、日本という辺国から薬生という資格で入唐してきた一留学生に、恵果阿闍梨は惜しみなく真言密教の秘法を伝授された。そして早く日本に帰って密教を弘めるように指示された。そこでお大師様は、二十年という留学の年限をつづめて、大同元年（八〇六）に無事帰国された。

それから承和二年（八三五）高野山奥之院に入定《にゅうじょう》されるまで、超人的な活動によって「真言宗」の確立に尽力された。素晴しい活動である。そこで「南無大師遍照金剛」と唱えて、尊崇するのである。（空海全集二・五五七頁）

4　恵果阿闍梨の指示

今すなわち授法の在るあり。経像功畢《おわ》んぬ。早く郷国《きょうこく》に帰って以て国家に奉り、天下に流布《るふ》して、蒼生《そうせい》の福《さいわい》を増せ。然《しか》ればすなわち四海泰《やす》く万人楽まん。是れすなわち仏恩《ぶっとんノ》を報じ師徳を報ず。国の為には忠なり。家に於ては孝なり。義明供奉《くぶ》は此処にして伝えん。汝《そなた》はそれ行きてこれを東国に伝えよ。努力努力《つとめよつとめよ》と。

（請来目録、全集一・一〇〇頁）

「今日までに伝授の事は終わった。経典の書写、曼荼羅の書写の事も出来上がった。一日も早く故国日本に帰って、これらを国家に捧《ささ》げて天下の人々に流伝広布して万民の福徳を増進しなさい。そうすれば天下は泰平になって、万人が楽しく過ごす事が出来るでしょう。こうする事がみ仏の御恩に報いる事であり、師の御恩にも報ずる事になる。これが国のためには忠となり、家族のためには孝となる。義明供奉は中国に居て密教を伝えるであろう。そなたは東国日本に帰って密教を伝えよ。努力しなさい。頑張りなさい」と師の恵果阿闍梨は懇切に御教示下さった――という意である。

お大師様は始め二十年間中国で勉学して帰国の予定であったが、立派な密教の師僧が御遷化になった事と、師僧のすすめで帰国を早められて僅かに二年二ヵ月で無事に帰られた。

お大師様は、「虚《むな》しく往《ゆ》いて実《みち》て帰る」（性霊集・恵果碑、全集三・四二二頁）と表現されて、何もなしに中国に行っていろいろと授かって一杯頂いて貴重な渡唐になった、と申しておられる。

師の恵果阿闍梨は、「貧《ひん》を済《すく》うに財を以てし、愚を導くに法を以てす。財を積まざるを以て心とし、法を慳《お》しまざるを以て性《しょう》とす」(同・四二一頁)とあるように、雲の如くに集まった弟子や信徒に対して、必要な物を与えて導かれた。その心情はお金の必要な人には財を与え、教法の必要な人には法を惜《お》しむ事なく与えられた。偉大な阿闍梨であったとしか言いようがない。

東国から来た一留学僧に真言密教の神髄を惜しみなく伝授されるとは、大したお方である。それだけお大師様の霊格が高かったからだとは思うけれども、秘法を大事にされた偉大な師であったと感嘆せざるを得ない。

今日では、仏法の最も盛んな国は我が国である。その中で密教に遇《あ》えた事に感謝せずにはおれない。お釈迦様は精神文化界の超偉人であり、又お大師様も超偉人であるからである。(空海全集二・五五九—六〇頁)

5　萬農池の修築別当となる

伝燈大法師位空海を築萬農池別当に宛《あて》んことを請《こ》ふ状

右築池使刑部少丞正六位下路真人浜継等、去年自《よ》り始て勤て修築を加ふ。而も池大に民少くして築成未だ期あらず。……百姓恋慕すること実に父母の如し、若し師来れるを聞かば、部内の人衆履を倒《さかさま》にして来り迎へざるは莫《な》し。請ふ、別当に宛て、其事を成《じょう》さしめよ。……

（山本智教著『空海上人伝』一〇六―八頁）

これはお大師様のお言葉ではないけれど、弘仁十二年（八二一）五月二十七日付で国司から要請され、お大師様は萬農池修築別当に朝命によりあてられ、京都から讃岐（香川県）に下向された。

お大師様は中の島に護摩壇を築き、お護摩をたいて無魔成満を祈願された。民衆は頭を履物に着けて最敬礼し、築池に協力、先の築池別当が二年かかっても修復出来なかった難工事を僅か三ヵ月で完成された。いかに民衆の信頼が厚かったかが伺われる。

この池は周囲約二十キロ、爾来丸亀平野三千六百町歩を灌漑してきた。大正五年に近代的ダムとして改修された時に判ったのであるが、池の堤防を円形ではなく、逆に内側に帳って排水口を両側に作り、水圧を二分するように設計されていた。お大師様は水利力学をご存知であったのであろう。それにしても、お大師様のなされた済世理民の事業として特記すべき事項である。

6　お大師様は高野山に御入定《ごにゅうじょう》される

斗藪《とそう》して道に殉《したが》い、兀然《こつぜん》として独坐せば、水菜《すいさい》能《よ》く命を支え、薜蘿《へいら》是れ我が衣たり。修するところの功徳、以て国の徳《めぐみ》に酬《むく》う。

（高野雑筆集、全集三・五八三頁）

迷いの塵《ちり》を切り払って仏道の修行に入り、独《ひと》り山中に坐して修禅を事としておりますと、水菜がわが命をよく支えてくれます。つたやかずらも、またわが衣の役をしてくれます。仏道の良き観想をひたすら凝《こ》らす功徳《くどく》をもって、国家の恩徳《めぐみ》に報謝したいと思っております――という意である。

高野山に籠《こも》って禅黙修法された時の感想であろう。非常に質素な生活であったであろうと察せられる。

そして、高野山に仏国土の観想を念じられ金剛定に入られた上で、承和二年（八三五）三月二十一日、御年六十二歳で奥之院に御入定《ごにゅうじょう》になった。禅定に入ったまま国と国民の御多幸を祈って、護《まも》って下さっているのである。（空海全集七）

7　高野山に金剛峯寺と伽藍を建立

この勝地に託《つ》いて聊《いささ》か伽藍を建てて金剛峯寺と名づく。ここに住して道を修し四上《しじょう》を持念す。華蔵《けぞう》を心海に観じ実相をこの山に念ず。以て神威を崇《あが》めて国皇の福《さいわい》を饒《ゆたか》にせん。

（性霊集九・高野四至啓白、全集三・五二五頁）

私（弘法大師）が高野山に居住していた時、たびたび丹生《にう》明神の御守護を受けたが、この勝《すぐ》れた土地にささやかながら伽藍を建立して金剛峯寺と名付けた。ここに居住して密道を修行し、四時に上堂して持誦祈念する事に勤めた。大日如来の蓮華蔵世界を心の海に観じ、如来の真実相をこの山に観念瞑想した。これによって神様の威光を崇《あが》め、天皇御一家（国民全体）の幸福がいよいよ豊かになりますようにお祈りした――という意である。

丹生明神の御守護を感じられた、とあるが、神様も仏様も衆生の幸せを念じておられるので、神仏にお願いとお礼を申すのである。御先祖様も子孫の幸せを念じお守り下さっているので、お願いしお礼を申し、冥福を祈るのである。特にみ仏の円満な密厳《みつごん》浄土を心に観念し、その真実相が実現するように念誦する事は肝要な事である。善い想いは、いつか現実化するからである。

お大師様のこの崇高なお祈りがあったればこそ、大師信徒はお大師様にお会いするために高野山に参詣されるのであろう。お大師様は今に生きておいでる、そして救って下さる、というのが大師信徒の固い信仰である。（空海全集六・六〇四頁）

第二章　密教は自身仏を拝む

8　災《わざわ》いを払い幸せを招く摩尼《まに》（宝珠）の法

この法は仏の心、国の鎮なり。氛《ふんノ》を攘《はら》い祉《さいわ》いを招くの摩尼《まに》、凡《ぼんノ》を脱《まぬか》れ聖《せい》に入るの墟径《きょけい》なり。

（性霊集五・本国に帰る、全集三・四六一頁）

この真言密教の教えはみ仏の心を開明した秘法であり、国にとっては鎮《しず》めとなる宝物である。内外の災《わざわ》いを除き、福徳を招くの摩尼《まに》宝珠である。凡夫が聖者になる一番の近道である――という意である。

お大師様は入唐《にっとう》されて後、師僧恵果阿闍梨の指示に従って二年二ヵ月で帰国された。しかし、『請来目録』（全集一・七〇頁）に、「得難き法を生きて請来《しょうらい》せることを竊《ひそか》に喜ぶ」と述べられている。

当時の入唐は、命懸けの求法であった。それにしても幸運な入唐となった。そして、真言密教をわが国に伝来し、その教学を完成された。私達が易々《いい》としてその教相事相を学べる事を心から感謝したい。災いを払い、福を招くの秘法である。この秘法によって万民を幸せにする事が、せめてもの報恩となる事だろう。（空海全集六・三四八頁）

9　密教は根本教祖大日如来を樹《た》てる

第一の高祖法身大毘盧遮那如来《だいびるしゃなにょらい》は自眷属の法身如来とともに秘密法界心殿の中に於て、自受法楽の故に常恒不断にこの自内証智の三摩地の法を演説したもう。

（付法伝、全集一・五頁）

真言密教の根本教祖大日如来は、その法身から従心流出した無尽の眷属の法身如来と共に、密厳《みつごん》浄土の法界心殿の宮殿の中で、みずからがその法を楽しんで三世常恒に断える間《ま》もなく、自らの悟った大智の精神統一の境地に住して、その真理を説いておいでる――という意である。

仏教はお釈迦様がお説きになった教えで、お釈迦様を教祖とするのだけれど、密教では大日如来を教祖とする。これは、お釈迦様も人間として生まれられた一人であるから、人類を生み出し万物を生み出した教祖が求められた訳である。

かくて論究の結果、釈迦如来の生みの親、法身大日如来が論理上誕生し、密教の教祖となられた。この教祖が変わるという事は、仏教の大変革である。その証明も容易な事ではない。これをやってのけたのが真言密教僧である。

これは一神教の宇宙創造説と一面似た所があるが、因縁の法則、それを越えた因縁を遠離した法則を通過した密教と、そうでない一神教とでは違いがある。

例えば、恩寵《おんちょう》を与えたり不幸を与えたりする神と、大慈大悲のみ仏とは根本的な違いがある。いずれも人類を良い方向に導く尊い教えではあるが、一神教では人は神の子であるけれども神となる事は出来ないと説き、密教では人間は仏となる事が法爾自然の道理である、と説く違いがある。

これは啓示《けいじ》の宗教と哲理の上の宗教との性格上の違いである。仏教は哲理を重んじたので論理上の矛盾がない。論理は一貫している。根本教祖大日如来の教えは、我即大日に至

るのが密教の至極である。（空海全集二・三九一—二頁）

10　三七年の延命の秘法

経を転ずれば疾愈《やまいい》ゆること暁《あきら》かなり。持念すれば時に当って痊《い》ゆ。

（宗秘論、全集二・一〇二頁）

お経を唱えれば、病気が治ることは明らかである。信心して拝めば、たちどころに治る——という意である。

私は数えの十八歳の頃、高野山中学に在学していたが、乾性肋膜炎を患《わずら》った。休学し、兵庫県の日本海側の山寺に帰って療養する事になった。檀家のおばあさん達は、「こぼちゃん（私の事）はまだ若いのに、可愛そうに死ぬだろう」と噂していたと言う。誰が見てもそう思われていたらしい。

後年、高野山で一緒にいた僧に会ったら、「えッ！　生きとったのか。死んだと思っていた」と言われた事がある。

師僧（父）は、「病気が治るように信心して〝大随求陀尼《だいずいぐだらに》〟を拝みなさい」と言って、その読み方を教えて貰った。私も何とか生きたいと思って、毎日本尊薬師如来の御前でそのお経を一巻拝むのと、同菩薩の真言を唱える事を仕事にして、他には何も仕事は出来なかった。

その菩薩の印は梵篋《ぼんきょう》の印である。在家の方は、金剛合掌《こんごうがっしょう》（両手の五指を交互に組み交え、右手の親指が胸に近くなるように結ぶ合掌）をして下さい。

高野山中学四年の冬、ある本で「三七年の延命の秘法」がある事を知り、天徳院の金山穆韶先生に伝授をお願いした。先生は炬燵にあたりながら本を読まれていたが、私の乞いを受けてわざわざ衣をつけて本堂に赴き、ローソク六本をつけ香を焚き、丁寧に若輩の私一人のために伝授して下さった。

その秘法というのは、次のとおりである（金山穆韶大阿闍梨伝）。

未敷蓮華合掌《みふれんげ》（二中〈中指〉を少し開く）にして明《みょう》三返。次に、二小（小指）を開き明三返。次に、二無名（薬指）を開き明三返。次に、二頭（人差指）を開き明三返。次に、二大（親指）を開き明三返。次に、二中を開き明三返。次に、八葉印（二大二小をつける）にして明三返。次に、始めの未敷蓮華合掌にして明三返。後は、明は返数を問わず（掌を丸くふくらます事）。真言は、「オーム　カマレエー　ヴィマレイ　シュンデエイ　ソワカ」。准胝《じゅんてい》観世音菩薩を本尊として拝む。

これは在家の方に授けてもよいという法であるから、篤信の方に、長生きしたい方に、授けられたらよいと思う。

それから私は六十七年も長生きさせて頂いて、こんな有り難い事はないと感謝している。この命は仏様から頂いた命だから、仏様のみ心にそうように生きたいと念願してきた。それ以来、「み仏様は至心にお願いすれば、必ず救って下さる」と固く信じている。

「困った時の仏（神）頼み」ではあったけれど、生きるか死ぬかの境目であったから真剣であった。一筋でお願いした。十一年間もかかったけれど、全快する事が出来た。こんな嬉しい事はなかった。お経を拝んで重病が治るなんて、とても信じられない事だろうけれど、本当に救われるのだから、信心という拝む事は有り難い。これは体験しない事には分からない。

だから禍福《かふく》は一枚の紙の裏表である。病気をした事によって、僧としての生き方を教わった。こうしてお大師様のお言葉、聖語に包まれて人生の最後を送れるとは、私は果報に恵まれたと心から深謝したい。（空海全集四・一七四頁）

11　引導作法の死の印明《いんみょう》

八葉の白蓮一肘《いっちゅう》の間にあり。阿字素光《そこう》の色を炳現《へいげん》す。禅智ともに金剛縛《ばく》に入れて、如来の寂静智を召入《ちょうにゅう》す。

（秘蔵宝鑰、全集一・四六九頁）

この原文は、『金剛頂経瑜伽修習毘盧遮那三摩地法』（大正蔵一八・三二八頁）にある。

八つの花びらの白色の蓮華が一肘量《いっちゅうりょう》、長さ一尺八寸、或いは曲尺《かねじゃく》一尺六寸、或いは一尺五寸（肘《ひじ》を立てて中指までの長さ）の月輪が胸の前にあり、上に阿字（𑖀）が白色の輝きを放って明らかに光り輝いている。外縛《げばく》（前出の金剛合掌）をして、真言は𑖮𑖳𑖽《フーム》を唱えて、み仏のように凡てのとらわれから離れて、心が静かになった悟りの智恵を我が心に招き入れる――という意である。

故三井英光大阿の引導略作法に出ている文章の一節である。真言密教の大日如来の悟りを単的に表現した重要な聖語である。亡くなった方にたむける秘印明《ひいんみょう》である。これがあの世に逝《ゆ》く時の印明である。外縛𑖮𑖳𑖽《フーム》の印明は生きている間に授けてもよい事になっているから、密厳《みつごん》浄土に生まれる秘印明として生前から結ぶ稽古をしておく事も大切である。

外縛は掌の中に心月輪を観想し、月輪の下側に蓮華座があって金剛界曼荼羅を表す。内縛は心月輪の内側の下に蓮華座があり、その上に仏菩薩の尊形を観ずる。胎蔵界曼荼羅を観想する。金台は不二であり外縛で内縛も兼ねるから、外縛で胎蔵界の仏様を拝まれてもよい。仏様の法界の中に、いつも私達も包まれているからである。

こういう意味の印明を結ぶ事によって、即身成仏の実感が湧いてき易い事だろう。真言僧は更に外縛をして、禅智（秘伝・僧のみに伝授）をその中に入れる四大の秘印明を亡者に授ける事になっている。上文にあるのがそれである。（空海全集二）

12　この世で最も尊いものは自身仏

奇哉の奇。絶中の絶なるは、それただ自心の仏か。

（十住心論九、全集一・三六九頁）

不思議の中の不思議。絶対の中の最たるものは、ただそれ自心の中の仏である——という意である。

お大師様は『平城天皇灌頂文《へいぜいてんのうかんじょうのもん》』（全集二・一五八—九頁）に、

「それ此の太虚《たいこ》に過ぎて広大なる者は我が心、彼の法界に越えて独尊なる者は自仏なり。仏刹微塵《ぶっせつみじん》の数もその数量に譬《たと》うることあたわず。日月摩尼《にちがつまに》の光もその光明に喩《たと》うることを得ず。修行を待たずして清浄覚者《しょうじょうかくしゃ》本《もと》より具《ぐ》し、勤念《ごんねん》を仮《か》らずして、法然《ほうねん》の薩埵《さった》おのずから得《え》たり。五智の尊、その根首《こんじゅ》に居《こ》し、四曼の徳、その枝末を摂《ノ》す。如如如如の理、空空空空の智の如きに至っては、足断《た》えて進まず、手亡《ぼう》じて及ばず。奇なるかな、曼荼羅。妙《たえ》なるかな、我が三密」

と述べられている。

仏様を拝むという事の究極の本当の意味は、自心仏（自身仏）を拝む、という事である。自分が「仏」である事を自覚し、仏様らしく仏として生きる事を、お大師様は教えて下さった。

「即身成仏」とは、この身このまま仏として生きる、という意味である。修行をしなくても、お経を拝まなくても、法として自然《じねん》に金剛薩埵《こんごうさった》（永遠に生きる仏の子）である。大空よりも広く、お日様の光明よりも明るい仏様である。これから仏様に成《な》るというのではない。仏様である事を自覚する事である。修行を越えて直ちに成仏するのである。後は仏として生きればよいのだ。因縁の修行によって成仏するという教えは、長い期間を要してなかなか成仏出来ない事になる。

お大師様は因縁の法則を遠く離れて、法として自然に本来成仏している、という法然成仏説を打ち樹《た》てられた。仏智見の教えである。この哲理によって、「即身成仏」説を唱道される事が出来た。（空海全集一・六〇一頁、四・三三二―三頁）

13　自心に悟り（菩提）を求めよ

この教の諸の菩薩は真語を門と為し、自心に菩提を発《おこ》し、即心に万行を具し、心の正等覚を見、心の大涅槃を証し、心の方便を発起し、心の仏国を厳浄《ごんじょう》す。

（大日経開題、全集一・六五〇頁）

この教理によるもろもろの菩薩は、真実な言葉を使う事を入口の門として、自心に悟りを求める心を起こし、心の修行をいろいろと実践して、心の正しい仏様に等《ひと》しい悟りを体験し、心に大涅槃《だいねはん》（大安楽と寂静）を獲得《かくとく》し、心に衆生救済の方法を考え出し、心に仏国土を厳成《ごんじょう》する――という意である。

この同文は、『大日経開題』に三ヵ所出ている（空海全集三・四一—二頁・九四—五頁・一三二—三頁）。余程お大師様のお気に入りの一節なのであろう。その前後には、真言密教の枢要が述べられている。

「『大毘盧遮那《だいびるしゃな》』とは、梵音には𑖦𑖮𑖯𑖪𑖹𑖨𑖺𑖓𑖡《マカベイロシャノウ》といい、これには翻じて除暗遍明という。これ日天の別名なり。然るに世間の日は、すなわち方分あり。もしその外を照らせば内に及ぶこと能《あた》わず。明《みょう》、一辺に在りて一辺に至らず。またただ昼のみ在りて、光、夜を燭《てら》さず。如来智恵の日光は、すなわちかくの如くにはあらず。一切処に遍じて大明照を作《な》す。内外方所昼夜の別あることなし。また閻浮提《えんぶだい》を行くに、一切の卉木叢林《きもくそうりん》、その性分に随いて各《おのおの》増長することを得《う》。また重陰昏蔽《ちょういんこんぺい》して、日輪隠没《おんぼつ》すれども、また壊滅《えめつ》するにあらず、猛風雲を吹きて日光顕照すれども、また始めて生ずるにあらざるが如く、仏心の日もまたまたかくの如し。無明・煩悩・戯論《けろん》重雲のために覆障《ふくしょう》せらるといえども、しかも減するところなく、諸法の実相三昧を究竟して、円明無際なれども、しかも増するところなし」（全集一・六四七—八頁、大正蔵三九・五七九頁上とその意同文）とある。

「大毘盧遮那」というのは、翻訳して除暗遍明と言う。太陽の別名である。しかし、太陽は外を照らせば内にまでは及ばず、昼のみは照らしても夜は照らさないが、大日如来の智恵の大光明は、一切処に遍じて明るく照らす。太陽は地球を照らして、すべての草木はその性質に応じて増長する。又重なった雲が日輪を隠してしまう事があっても、それで日輪が無くなったのでもなく、大風が雲を吹き払って日光が現れても、始めて日輪が現れたのでもないように、仏心の日輪も同様である。根源的な無知による暗黒や、煩悩の迷いや、誤《あやま》った見解などのために覆われ遮《さえぎ》られる事があっても、仏心の日輪は無くなってしまうものではない。又反対に、諸法の真実相を究竟して円明に悟っても、仏日の光が増えるというものでもない。減ったり増えたりする事を越えている――という意である。

心の菩提という事をいかに大事にされたか、真語を使う事をいかに大事とされたか、という事がよく分かる。（空海全集三・四一―二頁）

14　果分の立場と実相平等門の教え

心王の大日は三身を孕《はら》んで円円のまた円。心数《しんじゅ》の曼荼は十地を超《こ》えて本有のまたの本なり。

（大日経開題、全集一・六四四頁）

心王の大日、心数の眷属は、本有の又の本であり、又大日如来の智恵の光明は、除暗遍明、能成衆務、光無生滅の義があって、迷悟を越えて円円の又の円である。生滅の世界を越えて三世常住のみ仏の命を悟るようにと、お大師様は教えられている。

心の中の中心の王様である大日如来は、法・報・応の三身を自身の中に納めて円満至極である。無数の心の働きを示す諸尊集会の曼荼羅は、十信・十行・十回向・十地・等覚・妙覚の五十二位の階級を越えて本《もと》から頂いている如来の福徳である。私達はこの大日如来から生じた仏子であるから、三身は法然に頂いているのであり、その三身から生じた沢山な仏様（私達）は本からありのままに頂いている性能を信じて、その人なりの一徳の実現に努めるべきである――という意である。

本有本覚、密厳《みつごん》浄土の有様を教示された密教の根本思想である。その事に気付きなさいというお大師様の暖かな御指導である。（空海全集三・三一頁）

15　諸法は法爾《ほうに》の存在

真言の相は一切諸仏の所作にも非ず。他をして作さしめるにもあらず。また随喜したまわず。何を以ての故に。是《こ》の諸法は法として是《か》くの如くなるを以ての故に。もしは諸如来が出現し、もしは諸如来出でたまわざれども、諸法法爾《ほうに》として是くの如く住す。

（十住心論十、全集一・四〇八頁）

これは、『大毘盧遮那成仏神変加持経』巻二・具縁品（大正蔵一八・一〇頁上）に載っている一節である。

この真言の相はすべての諸仏が作ったものでもなく、他の者に作らせたものでもない。

たとい作る者があったとしても、み仏は喜んでそれに随《したが》うという事はない。何故かと言うと、この諸法（あらゆる存在）は法としてありのままであって法爾の存在である。多くの如来が世に現れようと、或いは多くの如来が世に現れ出《い》でなかろうと、諸法は永遠の存在としてありのままに存在する——という意である。

大日経は紀元七世紀頃の製作であるから、その頃インドの真言密教では、こういう事が論議されていたのである。そして大日経が著された。しかし、著者の名は分からない。余程の大学者達の合作なのだろう。それにしても仏教哲学の粋《すい》である。み仏達はこの法爾の諸法を観て、この世の動きの原理を観出《みいだ》し、人間の正しい生き方を追求されたのである。

この一節の前には、「仏言《のたま》わく、菩提心を因と為し、悲を根本と為し、方便を究竟と為す。秘密主云わく、何《いかん》が菩提とならば、謂《いわ》く実の如く自心を知る」（同・一頁中下）という有名な一句がある。

前半は三句の法門と言い、如実知自心は悟りの境地の表現と言われている。こういったお言葉が随所に出てくるので、経典は有り難いと言って拝むのである。

私は仏教は哲学であると思っている。お釈迦様の説かれた「因縁の法則」を本にして着々積み重ねてきた哲理が、経典として認められて残された。仏教の哲理は一貫している。真言密教の哲理は、弘法大師の「六大体大縁起説」によって完成された。それは大日経と金剛頂経によっている。いかにお大師様はよく勉強されているかを証するものである。両経を総合統一された教理が密教である。胎蔵界・金剛界曼荼羅が不二統一された。（空海全集一・六九〇―一頁）

16　即身に悟りを得て成仏出来る

もし人仏慧《ぶって》を求めて菩提心に通達《つうだつ》すれば、父母所生の身に速かに大覚の位を証す。

（即身義、全集一・四七一頁）

もしも、み仏の智恵を得ようと求めて菩提心に到達すれば、父母より生まれたこの身体のままで速かに大覚の位に至る事が出来る――という意である。

これはお大師様が、人間に生まれたならば、この身このままで即身成仏出来るという主張を「菩提心論」の中の一句から証明しようとされた証文の一つである。

お大師様は「即身成仏」という新しい旗印《はたじるし》を掲《かか》げられたけれど、それはこういう経典にすでに述べられている事を強調したに過ぎない、と謙遜されたのである。それにしても沢山の経典を読まれており、その経典の目指す所を的確《てきかく》に掴《つか》んで、正に紙背に徹する眼力があった、と驚嘆《きょうたん》せずにはおれない。余程仏教の哲理に対する鋭い感覚があって、真言密教の哲学を大成されたのだろう。その努力に敬服するのである。

何故、「南無大師遍照金剛」と唱えて崇敬するのかと言うと、その一生の勉学と修道の成果と、仏界によられて衆生救済の数々に感謝するのである。お大師様は、今に私達を救って下さっている。これは大勢の大師信者の方々が、実感されている事だろう。救われた命をいかに生きるか、という事もお大師様は教えられている。

「願わくば金剛の承仕業《じょうじごう》を成《じょう》ぜん事を」という一句である。「仏国土を作りあげるお仕事のお手伝いをさせて下さいませ」と、真言僧は四智漢語の中で唱えている。自分が即身成仏すると共に、仏国土を作り上げる事が目標である。これが「大覚の位を証す」という本当の意味だろう。（空海全集二・二二四頁）

17 自性清浄心安心《じしょうしょうじょうしんあんじん》

蓮《はちす》を観じて自浄を知り、菓《このみ》を見て心徳を覚る。

（般若心経秘鍵、全集一・五六〇頁）

人間の本性は善と言うべきか、悪と言うべきかという事は、昔中国で論議された論題であったが、仏教は徹底した性善説で、これを「自性清浄心説《じしょうしょうじょうしんせつ》」と言っている。

蓮華はインドに咲く花で、仏教ではその蓮華を仏教を象徴する花としている。その綺麗に咲く蓮の華を観《み》て、自分の中に自然《じねん》に存在する清らかな心がある事を知り、その花が実を結ぶ菓《このみ》を見て、心の中に本来存在する徳相を悟りなさい――という意である。

迷っている凡夫の立場からではなく、悟られた仏果地（み仏の立場）から観るようにしなさい。遮情《しゃじょう》（迷いを払う立場）からではなく、表徳《ひょうとく》（本来法爾《ほうに》として頂いている福徳智徳をこの世で実現する）の立場から生きなさい。お大師様は、このような明るい積極的な楽しい生き方を指導されている。

まさに、「失った物を数えるな。残された物を数えよ」という徹底したプラス思考の生き方である。この言葉は、手足の自由や、目の耳の機能を失った不自由児に言っておられる先生のはげましの教えと聞いたが、残された物を生かして生きていくより外に私達には生きようがない。

自然に息が止まるまで、頑張って生きるのが人間の勤《つと》めである。折角命を頂いて今を生かして頂いているのですから、死ぬ事も大事な経験であり、有り難いと感謝して頑張りましょう。（空海全集二・三六六頁）

18　草も木も成仏出来る

草木非情成仏の義。法身は微細《ナみさい》の身にして五大所成なり。虚空もまた五大所成なり。草木もまた五大所成なり。

（秘蔵記、全集二・三七頁）

『秘蔵記』というのは、恵果阿闍梨の口述、弘法大師の筆録である。その六十二番としてこの項目がある。草木のような普通心なき物と言われている物も成仏する、という主張である。

法身大日如来は、微細の身にして五大（地・水・火・風・空）によって出来ている。虚空もまた、五大より出来ている。草木もまた、同じく五大より出来ている。法身の微妙な身体は、虚空ないし草木にまで遍く行きわたっている。従って虚空、草木がそのまま法身なのである――という意である。

肉眼では草木は荒《あら》い色形の物と見えるけれども、仏眼では微細微妙の色である。だから、草木はそのまま仏体であると言っても間違いではない。草木は非情であると言われているけれども、仏眼で観れば成仏出来る身体を持っていると断定された。

お大師様のお言葉に、「体《たい》あるものは、まさに心識を含み、心あるものは必ず仏性《ぶっしょう》を具す」（拾遺雑集二一、全集三・六二六頁、『弘法大師空海百話』六〇―三頁）とある。物質には心があり、心のある物には必ずみ仏の善い性質を持っている、という意である。

この『秘蔵記』には、大日如来も五大より成っている。草木も五大より成っている。だから草木も成仏出来るという哲理が述べられている。

お大師様は大日経から五大、金剛頂経から識大と合わせて六大体大縁起説を創唱されたと言われているが、恵果阿闍梨の五大所成説も参考にされたのであろう。そしてお大師様は、「即身成仏」という新しい目標を真言宗の特色として掲《かか》げられた。

そして、人間だけが成仏出来るのではない。草木も成仏出来る、という新説も併せて提唱された。身体のある物は皆成仏出来る、という新説である。お釈迦様は即身成仏された。だからお大師様は、仏教は本来即身成仏を説くべきであると主張され、そしてその原理として六大体大縁起説を完成された。「我身仏身」という哲理を聞いて、それで頓成する人を極大頓機の人として尊重した。仏として生きる、というのが密教の悟りである。そしたら、草木も仏様として尊重出来る事だろう。（空海全集四・七三七頁）

19　み仏の実智に習え

如来の実智も多くの功徳を具す。久しく無明煩悩の地に埋むれどもかつて朽爛《くらん》せず。無間瞋恚《むけんしんに》の火に入れども消えず融《と》けず。下劣の凡夫は億劫《おくこう》にも見難く、もし能く得証すれば三界の王となる。

（金剛頂経開題、全集一・六九七頁）

み仏の真実な智恵には、多くの良い徳を具《そな》えている。長い間、先の見えない真っ黒闇な迷いの大地に埋められていても、朽《く》ちる事も無くなる事もない。また、休む暇のない炎のような怒りにさらされても、消える事も融《と》けてしまう事もない。劣《おと》った凡夫には、無限ともいうべき長期間かかっても見る事も出来ないが、もしよく如来の実智を悟る事が出来れば、欲界・色界・無色界の三界の王様の如き尊い存在となる——という意である。

従って、み仏の智恵、五仏の五智を得る事が大切である。それは、大円鏡智・平等性智・妙観察智・成所作智・法界体性智の五つである。

私達は肉体という物質を持っているから、食べなければ生きられない。その事はよく分かるけれど、心の方のみ仏の実智となると二の次となり易い。しかし心の働きもあるのだから、心の正しい智恵も必要である。この心の修養が信心である。（空海全集三・一五四頁）

20　希望を最後まで捨てるな

真如実相は法然の理、常恒の法なり。因縁生に非ず。是《こ》の故に真如は因に非ず。実相は果にあらず。真はすなわち真如。実はすなわち実相なるが故に。

（金剛頂経開題、全集一・六九六頁）

真如一元より生ずる法界は真実なみ仏の世界で、法として自然に存在する三世常住の世界である。因縁によって生じたり滅したりする世界の事ではない。因縁を越えた生き通しの世界、真実である。こういう訳で、真如は原因ではない。実相は結果ではない。真は真実さながらの事。実は真実相の事である――という意である。

み仏の法界は三世常住法爾自然《ほうにじねん》、因縁を遠く離れた仏国土の事である。この世の現実の原理で考えるべきではない。法界の原理で考えるべきである。仏眼《ぶつげん》で観なければならぬ。私達はみな仏の子、金剛薩埵であり、住んでいる所は法界（密厳《みつごん》国土）である。真如の現れ、実相の顕現である。みんなが成仏している安らいだ仏国土なのだ。そうなる事が目標なのだ。

その理想は実現出来ると、お大師様はおっしゃる。み仏も六大の所生、私達も六大の所生、万物も六大の所生。同一性が種々の姿を現じているのだ。しかし悪い人だっておいでるではありませんか、と言われるかもしれないけれど、その悪人でも悪い事と知っているから顔を隠すのだ。善い人間と評価されたいと望んでいるのだ。だから、ど根性まで悪人という者はいない。よく導いてくれる人と出会う縁がないのだ。哀れな人なのだ。

だから、仏国土を造る理想を捨てるべきではない。ぐれた息子をお母さんが、「私が見捨てたら誰がかばってくれる」と最後まで愛したら、見事に更生して今はよい父親となっている例もある。希望を捨てるべきではない。（空海全集三・一五二頁）

第三章　密教は多元即一元の世界

21　大日の三密《さんみつ》はいつも説法をし給う

毘盧遮那《びるしゃな》の一切の身業《しん》、一切の語業《ご》、一切の意業《い》、一切処一切時に有情界に於て真言道句の法を宣説したもう。

（十住心論、全集一・四〇四頁）

「毘盧遮那」とは、真言密教の根本教主大日如来の事である。この大日如来の身体の働き、言葉の働き、意《こころ》の働きは、一切の処に行き渡り、過去・現在・未来の一切の時を越えていつでも有情界（心を持っている世界・人間・動物・植物・鉱物など物質界）のすべての所において、真言秘密の三密の救いの教えを説法されている——という意である。

だからいつでも心を澄ませば、大日如来の説法を誰でも実は聞く事が出来るのである。み仏の身・口・意は、実は宇宙に満ちている。私達も大日如来の差別智印《さべつちいん》（一分身）の一人である。仏国土に住まわせて頂いている。至らんながらも、仏作仏業の一少分をさせて頂いている。従って、仏様を離れて私達の存在があるのではない。

いつでも仏様と共に生きさせて頂いている。鳥の鳴き声を聞いても、花を見ても、風にそよぐ葉のそよぎを見ても、み仏の説法と受け取れる人は幸せである。車に乗ったら、車に感謝出来る人は幸せである。家族の言葉を聞いたら、これこそみ仏の説法であると受け取れる人は幸せである。何もかも説法であると受け取れる人は、すでに悟って成仏しておいでると言える。(空海全集一・六八一—二頁)

22　教示する者《ひと》と説く者《ひと》がいる

道の本は無始無終、教の源は無造無作、三世に亘って変ぜず。六塵に遍じて常恒なり。しかれどもなお示す者《ひと》なきときはすなわち目前なれども見えず。説く者《ひと》なきときはすなわち心中なれども知られず。

(法華経開題、全集一・七五六頁)

人間として正しく生きていく道は、始めもなければ終わりもなく、実はちゃんとある。

その教えの根本は人の造作を離れて、過去・現在・未来にわたって常に存在する。眼・耳・鼻・舌・身・意にゆきわたっていて、常にいつでも実在する。だけれども、それを言語で説示する人がないと、目の前にあっても見る事は出来ない。はっきりと明らかに説き示す人がなければ、心の中にあっても知る事が出来ないで終わってしまう——という意である。

人間の正しく生きる道も、その法の教えも、宇宙に本来示されているのだけれど、説示する偉人がいない事には、見る事も知る事も出来ないで終わってしまう。その法を明らかに示して下さる方とは、如来のみ仏である。

すでに、お釈迦様を始め各宗のお祖師様やお大師様など、大勢の方が悟りを開いて仏法として説いて下さっている。それを聞かない位、損な事はない。

何十年も前の事であるが、「女に溺れ、酒に溺れ、また賭博《とばく》に溺れて、得たるをも得たるをも失う人がいる。これは破滅への門である」（『経集』一〇六番・中村元訳）という聖語を貼っておいたら、「息子に是非見せてやりたいから下さい」と言って持って帰られた事がある。法に触れると言う事は、自分の生き方を正す教訓である。法句経にしても『経集』にしても、お釈迦様の遺訓が一杯に残されている。なぜお釈迦様と言って尊敬するのか、それを見られたら分かるだろう。仏・法・僧を三宝と言うのには、それだけの理由がある。法を大切にしたい。（空海全集三・二九八頁）

23　字相を越えて字義に至る

一切世間は但し是《か》くの如くの字相《じそう》のみを知って、未《いま》だ曾《か》つて字義を解《げ》せず。この故に生死《しょうじ》の人と為す。如来は実の如く実義《じつぎ》を知り玉う。所以《ゆえ》に大覚と号《ごう》す。

（吽字義、全集一・五三六頁）

一般社会の人は、このように字の表面の表現のみを承知して、深義真相を知らない。従って、生まれたり死んだりの表面のみを見て一喜一憂している。み仏は真実をそのままに観察して、本当の姿を把握《はあく》されている。だから絶対の悟りを得た方と言うのである――

という意である。

現実の姿のみを見る人を生死の人となす。深く生死を観察すれば、不生不滅の三世常住の命を生きられている人を如来と言う。生滅と常住とは、実は不二なのである。その違いは、実相を見る人と、字義を観る人との違いである。

密教の修法に、入我我入観と正念誦《しょうねんじゅ》と字輪観《じりんかん》があって、身・口・意で成仏する事を実習する。身・口・意は有相観であり、字輪観は無相観といえるだろう。

字輪観には、𑖀《ア》阿字本不生不可得𑖪《バ》縛字言説不可得𑖨《ラ》囉字塵垢不可得𑖮𑖳𑖽《ウン》吽字因業不可得𑖏《キャ》佉字虚空不可得とある。得べからずとあるのだから、本不生は得る事が出来ないのに、何故唱えるのか。言葉・文字を越えるという意味だろう。空三昧を超えて大空三昧の境に入れという意味だろう。そこは、不生不滅の生き通しの命の世界である。み仏の命は三世常恒なのだから、生滅の世界を超えて永住の世界へ入って体験せよ、との要求であろう。

悟りは一人ひとりの問題なのだから、自分で悟る外はない。ただ文字を読み唱えるだけで悟りを得たように思うのは、早とちりである。文字を読んで悟りのありかを知り、その知識を越えてみ仏の大智に至らなければ、本物とは言えない。月輪観に広観斂観《れんかん》があるのは、この究竟の悟りの一例である。字相を越えて字義に至るまで、修行を致したい。（空海全集二・三〇三頁）

24　本《もと》は一つ　受者によって千殊《せんしゅ》となる

能説の心は平等にして転ずれども、所潤の意《こころ》、千殊《せんしゅ》にして各々《おのおの》解《げ》す。一・三・五乗、源《みなもと》一にして派別《はわか》る。法報応化体同にして用異《ゆうこと》なる。

（付法伝一、全集一・一頁）

法身大日如来は、この宇宙の法（真理・道理）を説くにあたって、心を広く平等に保ってお説きになるのだけれど、受者の受け取り方は千の異《こと》なりとなって、それぞれ自分なりに解釈する。例えば、仏乗の一乗と、声聞と縁覚と菩薩の三乗と、それに人乗と天乗とを加えて五乗と言うように、根本は一つであってもグループは分かれてしまう。仏身の見方にしても法身（法界を身体とされる根本中心の大日如来）と、報身（善根功徳の集積の結果、み仏となられた阿弥陀如来など）と、応身（衆生の機根に応じて教化されるお釈迦様など）と、化身（変化して分かり易く人間を指導される天部の神々と憑依霊など）とに分けられるが、その本体は一つであり、相手に応じてそのお働きの層が分かれる。それは能説のみ仏が分けられるのではなく、聞く受者の心の違いによって千差万別となる。これはみ仏の責任ではない。そこで、その信者の能力に応じて修学して菩提に至るという別々の教えが出て来たのである——という意である。

漢訳の経典が約四千巻からあるように、み仏の教えは分かれたけれど、経典にはそれぞれの特色・主張があるけれど、その要《かなめ》・肝心を求めてその三摩地《さんまぢ》に入る事である。根本は一つでも宗派が分かれているように、これがみ仏の本当の心境だという主張は分かれたのである。（空海全集二・三八〇頁）

25　自身他身は一如平等

自身他身は一如と与《とも》んじて平等なり。これを覚る者は常に五智の台《うてな》に遊び、これに迷う者は毎《つね》に三界の泥《おでい》に沈む。

（性霊集、全集三・五二九頁）

これは、「高野建立の初《はじめ》の結界の時の啓白《けいびゃく》の文」九九に載っている一節である。その前文には、「夫《そ》れ形有り識《こころ》有るものは必ず仏性を具す。仏性法性《ほっしょう》法界に遍じて不二なり」とあって続いている。

形の有るものには識《こころ》が存在し、必ず仏性が備わっている。一切衆生が本来持っている仏性も法性も、宇宙に遍く存在して一体である。自身も他身も真理はただ一つである。これを覚る者は、常にみ仏の覚りの楼台に遊び、これに迷うものは、欲界、色界、無色界の三界の泥水の中に沈む――という意である。

「一如平等」の教えが説かれている。現実には万差《まんじゃ》の世界である。そこは競争の世界であり、優劣の世界であり、勝ち負けの世界である。生きるか死ぬかの厳《きび》しい世界である。そこに優《やさ》しい「一如平等」の理想の教えが示された。仲良く共に生きる、という事を考えなさい、という教えである。

そうすればみ仏の安らかな楼台に遊ぶように楽しく生きられるのだし、迷って争いあっていては互いに殺し合う泥水の中に沈んでしまう、という教えである。悟るか、迷うか、二つに一つである。安楽に暮らすか、苦しめ合って暮らすか、二つに一つである。大慈大悲の大日如来は、一如平等である法を悟らずに六道に流転している人間を憐《あわれ》んで、真言秘密の苦しみを済《すく》う道を開かれて、示して下さっている。

家族は一如平等である事は、よく分かる事だろう。だから文句なしに助け合える。これを徐々に広げればよい。働くという事は、実は助け合っている事なのだ。そして、それが人間の生きる喜びであり生き甲斐なのだ。(空海全集六・六一二頁)

26　身体は別でも心は一つ

彼の身即《しん》ち是れ此の身、此の身即ち是れ彼の身、仏身即ち是れ衆生の身、衆生の身即ち是れ仏身なり。不同にして同なり、不異にして異なり。

（即身義、全集一・五一六頁）

他人の身体は、そのまま自分の身体である。自身は、そのまま他人の身体である。仏身は、そのまま人々の身体である。人々の身体は、そのまま仏身である。人々の身体と仏身とは迷悟の違いがあって同じではないが、衆生が仏となれるのだから同体と言える。み仏の身体は八十種の素晴らしさがあると言われているけれど、同一性である——という意である。

それは鏡の中の影像が本物と同様のように、沢山の燈光が一つに融《と》け合っているように、各別ではあるが、同一の面がある。家内に冗談ではあるが、「ついでに私のオシッコも一緒にしておいておくれ」と言うと、「そんな事、出来ますか。私がご飯を食べても、あなたはお腹がふくれないでしょう。自分の事は自分でしなさい」と叱られる。家内の言う通りだから承知せざるを得ない。

そのように別々で独立しているという面と、家を守りお互いに家業に尽力するように、一つの面もある。この一つの面に注目する所に、うまく行くコツがある。普通にほっといたら、別々の面が強く出る。同一だと観ずるのには、努力がいる。その面に心を向けなければならない。

仏壇は、一家の精神を一つにする重要な中心の物件である。この前で手を合わせ、ご先祖様を拝む事によって、家族の心は一つに結ばれる。ご先祖様も家族を守護される。ご先祖様は、あの世（霊界）に生きておられるからである。自身も他身も同一性と分かる時に、本当に仲良く出来る。（空海全集二・二四六―七頁）

27　多元即一元の実際

多にして不異なり。不異にして多なり。故に一如と名づくれども、一は一にあらずして一なり。無数を一となす。如は如にあらずして常なり。同同相似せり。

（吽字義、全集一・五四五頁）

多数となって現れているけれども、本質は異なるものではない。本質は異ならないけれども、現象界は多数となって現れている。この故に一如（一体）と名付ける。この一は一つではない一つであって、無数を一つと観るのである。私は如如を言うのだけれど、実は常住である。一と多と常と如とは同様の理を述べたものでよく似ている——という意である。

この一法界・多法界の教義は、密教の重要な議題である。法界は一味平等であって、六大体大からすべてが生じている。従って縁起した諸相は多種であるが、本質は一つと観るのを一法界説とする。六大体大の位に、十界三種世間が具わっているので、本質は一つであっても、現実は多種多様であって、多の独立を重要視するのを多法界説とする。

一法界説は実相論で、胎蔵の法門が主にこれを説き示し、天台宗はこの教系に近い。多法界説は縁起論で、金剛頂の法門が主に説き示し、華厳宗はこの教系に近い。従って、善無畏・一行阿闍梨は一法界を表とし、金剛智三蔵・不空三蔵は多法界を表とする。

松長恵史博士（元高野山真言宗管長）の説によると、主として「陸のシルクロード」を通り伝えられた「胎蔵系密教」と、インドネシア諸島を通る「海のシルクロード」を通り伝えられた「金剛頂系密教」が、このインドネシアで一体となり、「金胎両部」の思想が生み出された（「高野山時報」・平成十九年九月一日号）と言われている。

高野山の宝門は多法界を表とし、寿門は一法界を表として論争した。しかし真言宗の実義は、不二果分の立場で差別平等共に法性の深理で、一多法界は不二と観るのを奥義としている。

上掲の一節の前には、「同一にして多如なり。多の故に如如なり。理理無数にして、智智無辺なり。恒沙《ごうしゃ》も喩《たとえ》に非ず、刹塵《せつじん》も猶《な》お小《すくな》し。雨足多しと雖《いえど》も、並びに是れ一水なり。燈光一に非れども、冥然《みょうねん》として同躰なり。色心無量にして、実相無辺なり。心王心数、主伴無尽なり。互相に渉入して、帝珠錠光のごとし。重重難思にして、各五智を具す」とある。

一元論・多元論には、いずれにも道理がある。多元論には個個に一面の真理を認める。従って真理は無数にあり、その智恵も無辺である。ガンジス河の砂の数も喩えにならないほどだし、国土を微塵にした数でも及ばない。雨足は多いけれども、集まれば一水であるし、燈光は一つではなく多くあるけれども、その光明は一つに融け合って一光になっている。物質と心は無量と言ってよく、真実な姿は無辺と言ってよい。心の中心と個別的な心の働きは、お互いに主となったり、伴《ばん》となったりしてつきる事がない。相互に入り合いをする事は、帝釈天の宮殿の網《あみ》の珠玉に反映する光明の如くである。それは重なり合う事重重であって、そのおのおのに三仏の五智を具えている――という意である。

前述の如く一多不二を宗の極意としている。従って一元論・多元論を融合止揚されたのが、お大師様の教義である。そして強いて言えば、多元論を表としている。（空海全集二・

三二三―四頁)

28　大日如来の教え

此の法性身所説の法教、是れを秘密真言蔵と名づく。即ち是れ一切如来秘奥の教え、自覚聖智修証の法門なり。また是れ菩薩具足して浄戒の無量の威儀を受け、一切如来の海会《かいえ》の壇に入って、菩薩の職位《しきい》を受け、三界を超過して、仏の教勅《きょうちょく》を受くる三摩地門なり。

(真言付法伝、全集一・五二頁)

この法身大日如来の説かれた教えを、真言密教の教えの入った蔵と言うのである。これはあらゆる仏様の奥深い教えであって、自分で大日如来の悟られた境地を自覚し、その悟りを証得する法門(教え)である。また、菩薩様達が修行された上で浄らかになる三昧耶戒などを受けて、人間として正しい生き方を体得する。そしてみ仏様達のお浄土に入って、菩薩である事の証明を受ける。かくてこの浮世の社会を通り過ぎて、み仏として生きる即身成仏が出来る三密（身密・口密・意密）の門に入るのである——という意である。

付法伝には、『秘密曼荼羅教付法伝』（広付法伝）二巻と『真言付法伝』（略付法伝）がある。広付法伝には、大日如来・金剛薩埵・龍猛菩薩・龍智菩薩・金剛智三蔵・不空三蔵・恵果阿闍梨の付法の七祖を、略付法伝には、大日如来・金剛薩埵・龍猛菩薩・龍智菩薩・金剛智三蔵・不空三蔵・善無畏三蔵・一行禅師・恵果阿闍梨の九祖を伝持の祖とする。

仏身観の発達によって、仏教の教祖をお釈迦様から大日如来とした事は、仏教の大変革であった。これで密教の論理は整った訳である。教祖が変われば、教えも変わる。本有本覚、実相平等門、即身成仏の教えとなった。（空海全集二）

第四章　密教は果位の教え

29　密教は果位の立場から観る

地論釈論には其の機根を離れたるを称し、唯識中観には言断心滅を歎《たん》ず。是の如きの絶離は並びに因位に約して談ず。果人を謂《い》うには非ず。

（二教論、全集一・四七四頁）

この地論というのは菩提流支訳『十地経論』（大正蔵二六・一二三頁中）を言い、釈論というのは『釈摩訶衍《えん》論』巻一（同三二・六〇一頁下）を言っている。唯識とは玄奘三蔵訳『成唯識論』巻十（同三一・五七頁中）を、中観とは鳩摩羅什訳『中論』巻三（同三〇・二四頁中）を言っている。

このみ仏の境界は、人間の宗教的素質（機根）を越えている。人間の言語で表現する事も、頭脳で思慮する事も出来ない高い境界である、と説いてある。しかしこのように、仏境は絶離している、と説くのは迷っている凡夫の立場から言うのであって、悟りを得た仏様の立場から言うのではない――という意である。

故金山穆韶先生は、このお大師様の一句に注目して、顕教の立場と密教の立場の違いを強調されている。迷っている凡夫には、眼に曇《くも》りがあるから、真実な実相は観えて来ない。悟ったみ仏達こそ真実な仏国土の有様が観えるのである。

そこに顕教では、法身は無色形、無説法、空観を最高の至極と考えるから、仏国土に仏も無く衆生も無いという遮情の教理となる。密教は有色形、有説法、大我の表徳を立場とする曼荼羅体を展開する。無と有との強いていえば、顕教は法を主とし、密教は人を主とする違いがある。

本当の真諦《しんたい》に有仏有衆生の密厳《みつごん》国土を説く密教は、正にみ仏の内証智の境界を説く、自受法楽の自内証の境界である。それは因人の世界ではなく、果人の仏境界の教示であるからである。迷いを滅する修行の境界ではない。迷いを越えた自利利他の安楽世界である。三密妙行の密厳国土である。この果人の世界に早く安住しよう。（空海全集二・一五〇—一一頁）

30　医療と信仰の担当の違い

世医の療する所はただし身病のみなり。その方はすなわち大素本草等の文これなり。心病を治する術は大聖よく説きたまえり。その経はすなわち五蔵の法これなり。いわゆる五蔵とは修多羅《しゅたら》、毘奈耶《びなや》、阿毘達磨《あびたつま》、般若《はんにゃ》、総持《そうじ》等の蔵なり。

（十住心論、全集一・一二六頁）

お医者さんの治す事が出来るのは、身体の病気だけである。その方法は、中国の医書である『大素』『本草』などに説かれている。心の病《やまい》を治す方法は、み仏が丁寧に教えられている。その経典は五蔵と呼ばれる真理の教えである。五蔵とは、経と律と論と般若（智恵）と陀羅尼《だらに》（真言密教）などの教えである――という意である。

その前文には、「四大の乖《そむ》けるには薬を服して除き、鬼業《きごう》の崇《たたり》には呪悔《じゅかい》をもってよく銷《け》す。薬力《やくりき》は業鬼を却《さ》くる能わず。呪功《じゅく》は通じて一切の病を治す」とあって、上掲の一節に続いている。

医術と宗教との違い、その役割分担《ぶんたん》が述べられている。鬼とは憑依霊《ひょうえりょう》（生きている人にあの世の霊が依りすがってついている）の事であり、業《ごう》とは前世で悪い行為をして他人を苦しめたために、その報《むく》いで現世でその果報を受けて償《つぐな》いをする事である。鬼業の祟《たたり》で病気などになった時には、真言を唱えたり、懺悔《さんげ》をして許しを乞う事である。薬の力では業鬼を除く事は出来ない。真言を唱える功徳は、すべての病を治すのに功がある、と述べられている。

これが信仰の受け持っている分野である。心をどのように持ったらよいのか、という事が経典に説かれている。心の病はいろいろにあるから、その救いの教えもいろいろにある。その人に合った教えを見つけ出してあげるのが、僧の仕事だろう。それには社会的経験がいる。だから老僧が重んじられるのだろう。老人は自信を持って、範を垂れるとよいと思う。（空海全集一・八―九頁）

31　身病と心病

一千二百の草薬、七十二種の金丹は、身病を悲しんで方を作り、一十二部の妙法、八万四千の経教は、心疾を哀れんで訓《おしえ》を垂《た》る。身病百種なれば、すなわち方薬一途《いちず》なること能《あた》わず。心疾万品なれば、すなわち経教一種なることを得ず。この故に、我が大師薄伽梵《はくがぼん》、種種の薬を施して種種の病《やまい》を療《なお》したまう。

（三昧耶戒序、全集二・一三二頁）

千二百種類にも及ぶ草木からとった薬、七十二種類の不老不死の薬金丹《やくきんたん》は、身病をあわれんで作られ、一十二部の立派な真理や、八万四千の沢山な経義は、心病をあわれんで教えを説かれたものである。身体の病は百種類以上であるから、それに対応する薬も一種類では間に合わない。心の病も万を数える程多くあるから、それに対応する教えも一種類でよいという事はあり得ない。そこで私達の偉大な師である如来（世尊）は、病に応じたいろいろな薬を与えて、いろいろな心の病を治療されるのである——という意である。

この『三昧耶戒序』には、続いて十住心の大綱が説かれ、三昧耶仏戒を受けるに当たって四種の心、信心・大悲心・勝義心・大菩提心を発《おこ》すようにと示されている。その第四の菩提心に二種類があって、一つには能求《のうぐ》の菩提心、二つには所求《しょぐ》の菩提心とあって、その説明がなされている。

「能求《のうぐ》の心とは、譬《たと》えば人ありて善と悪とをなさんと欲せば、必ず先づその心を標《ひょう》して、而《しか》して後にその行《ぎょう》を行ずるが如しと云云。菩提を求むる人もまたかくの如し。また狂人、毒を解《げ》して忽ちに帰宅の心を起し、遊客事畢《ことおわ》って乍ちに懐土《かいど》の思を発《おこ》すが如く、求菩提の心もまたかくの如し。……所求の心とは、いわゆる無尽荘厳金剛界《むじんしょうごんこんごうかい》の身これなり。大毗盧遮那四種法身・四種曼荼羅、みなこれ一切衆生本来平等にして、共に有せり。然りといえども、五障の覆弊《ふくへい》を被り、三妄《さんもう》の雲翳《うんえい》に依って覚悟《かくご》することを得ず。もしよく日月の輪光を観じ、声字《しょうじ》の真言を誦じて三密の加持を発《おこ》し、四印の妙用を揮《ふる》わば、すなわち大日の光明廓《かく》として法界に周《あまね》く、無明の障《さわり》は忽《たちま》ちに心海に帰せん。無明《むみょう》忽ち明となり、毒薬乍《たちま》ちに薬となる。五部三部の尊、森羅《しんら》として円《まど》かに現じ、刹塵海滴《せつじんかいてき》の仏《ほとけ》、忽然《こつねん》

として涌出《ゆうしゅつ》せん」(同・一三六―七頁)

という有名な一節がある。

悟りを求める心とは、ちょうど善い事と悪い事をなそうと思えば、先ずその事をよく考えて、後でそれを行うようなものである。悟りという目に見えない境地を求める人も、同様である。例えば、毒によって狂った人も、毒の効き目が切れて、たちまちに正気に戻って自宅に帰る気持ちになり、遊び呆《ほう》けていた者も、遊び疲れて急に自分の家がなつかしくなって帰りたいと思うように、悟りを求める心もそのようなものである。……求められる心とは、無尽荘厳金剛界(尽きることのない程美しく荘《かざ》られた永遠の命に生きる大日如来のみ仏の仏国土の身)である。大日如来の四種法身(自性《じしょう》・受用《じよう》・変化《へんげ》・等流《とうる》の身)や、四種曼荼羅(大・三・法・羯《かつ》の四種類の曼荼羅)のお働きは、人間を始め生ある者に本から平等に頂いているので、共に所有している。しかし五つの障《さわ》り(煩悩障・業障《ごうしょう》・生障・法障《ほっしょう》・所知障《しょちしょう》)に覆《おお》われて隠されており、また三つの誤った執《とら》われ(麁妄執《そもうじゅう》・細妄執・極細妄執)の雲のかげに隠されて悟りに至る事が出来ない。もしよく日輪観・月輪観を修行して、音声と文字の真言を唱えて、身・口・意の三つの働きを仏様の加持によって仏様と等しくし、四印（大印・三昧耶印・法印・羯磨《かつま》印）を結んで、仏業を助ける仕事をさせて頂くならば、大日如来の大光明は一段とはっきりとみ仏の世界に行き渡り、暗闇のような障害は、たちまちのうちに、み仏の大きな海のような心に入って昇華してしまうであろう。そして無明（迷い）は明（悟り）となり、今まで毒となって働いていた煩悩もたちまちに悟りの薬となる。金剛界の五部（仏部・金剛部・蓮華部・宝部・羯磨部）や、胎蔵界の三部（仏部・蓮華部・金剛部）の諸尊聖衆《しょうじゅう》は、厳然として円満に出現したまい、数えきれない程の無数のみ仏達が、たちまちのうちに湧《わ》き出る水のように出現したもうであろう――という意である。

お大師様の迷と悟の世界の解説である。その悟りに至る道として、日月輪観・真言念誦・三密加持の法が説かれている事に注目すべきであろう。（空海全集四・二六九頁）

32　因縁を越えて法爾《ほうに》に成仏している

纔《わずか》にこの門に入れば、すなわち三大僧祇《さんだいそうぎ》を一念の阿字に超え、無量の福智を三密の金剛に具《ぐ》せん。

（大日経開題、全集一・六四七頁）

ほんの少しでもこの真言密教の教法に入れば、無限といってよいほどの長い時間を一瞬間の一念の阿字の観想によって越える事が出来、無量の幸福と智恵を身・口・意の三密に永遠の命をもって具《そな》える事が出来る——という意である。

なおこの開題には、「『成仏』とは、正覚正智不生不滅無始無終の義なり。これすなわち法爾所成《ほうにしょじょう》の成《じょう》にして、因縁所生の成にあらず」（同・六四八頁）と述べられている。

正しい覚り、正しい智恵は、始めて生ずるという事もなく、滅してしまう事もなく、無始無終の永遠の存在である。この成仏という事は法爾自然《ほうにじねん》に成《な》るところの成《じょう》であって、因縁によって生ずる（修行によって生ずる）成というものではない。この法爾の所成であって、因縁所生にあらず、という主張が密教と顕教との立場の相違をよく現している。

即身成仏というのは、これから修行をして仏に成る、というのではない。法爾として生まれながらに仏である事を自覚して、仏として生きる事にある、と教えられた。因縁の法則は仏教の根本原則であって、仏教の哲理はこの法則を基礎にして積み上げられた思想であって、この法則を無視する事は出来ない。

そこでお大師様は、「文にいわく『我、本不生を覚り、語言《ごごん》の道を出過し、諸過解脱《げだつ》することを得《う》、因縁を遠離《おんり》せり、空は虚空に等しと知る』」と言われている。「すなわちこれ大成就《だいじょうじゅ》の成《じょう》にして、少成就の成にはあらず」と、大日経巻二、入漫荼羅具縁真言品第二（大正蔵一八・九頁中）を引用して、「当に知るべし真言の果は悉く因果を離れたり」（全集一・五一七頁）と『即身義』に表明された。

お釈迦様が説かれた因縁の法則は、因縁生滅のこの現象界の原理であって、密教はこれを捨てるのではないけれども、大乗空観の壁を通過して、密教の悟りの仏境は、離因縁の果位に到達したのである。一朝一夕にこの果境に到達出来たのではない。長い年月と、大勢の仏教密教の修行僧によって発見された密教の哲理である。
お大師様は、「是の如く等の偈《げ》は皆法然具足の義を明かす」(同・五一七頁)と述べられている。大日経に述べられている「我覚本不生……」等の偈《げ》は皆、法然に具足している義を明かす、と述べられている。
密教の立場は、修生《しゅしょう》ではなくて本有《ほんぬ》の法爾所成の立場である。その立場に立って即身成仏義を主張されたのである。(空海全集三)

33　生滅は即事而真《に》

縁謝すればすなわち滅し、機興ずればすなわち生ず。事に即して而《しか》も真なり、終尽《しゅうじん》あること無し。故に神力加持経というなり。

(大日経略開題、全集一・六五四頁)

因縁が解《と》ければ当然に死ぬのだし、因縁が来て調えば、生まれる事が出来る。生滅共に真実である。因縁生滅も法界本有の常住の中の生滅であるから、死んだからといって終わりではない。その事が宣明にされているので、神力加持経（大日経）という名が付いているーーという意である。

続いて、「今此の品は、経の大意を統論す。いわゆる衆生の自心すなわち是れ一切智智なり、実の如く了知するを名付けて一切智者となす。是の故にこの教の諸の菩薩は真語を門となし、自心に菩提を発《おこ》す」（同・六五四ー五頁）とある。

人間の自心がそのまま仏の大智である。この大智を如実に悟る人を成仏したと言うのである。従って、沢山の求道者は真実な言葉を使って（真言を唱えて）自心に悟りを求めるのである……と続いている。

他に求めるのではない。自心に求めるのである。自心にみ仏の大覚に等しい智恵が具わっていると示されている。これが大日経の要《かなめ》である。因縁の生滅門で考えるのではない。三世常住のみ仏のみ心で考えるのだ。因縁の生滅も法界の中の生滅であって、実は無生滅であるのだ。私達は場所が変わっても生き通しの命で生きている事を了知する。これ

が信心であり、悟りである。（空海全集三・五三頁）

34　仏法は心中にある　悟りは我が身中にある

仏法遙《はるか》に非《あら》ず、心中にして即ち近し。真如外《ほか》に非ず、身《み》を棄《す》てていずくんか求めん。迷悟我れに在《あ》れば則ち発心《ほっしん》すれば即ち到《いた》る。明暗《みょうあん》他に非ざれば則ち信修《しんしゅ》すれば忽《たちま》ちに証《しょう》す。

（般若心経秘鍵、全集一・五五四頁）

み仏の教えられるこの世の真理、道理というものは、遙《はる》か遠くにあるのではない。一番近い自分の心の中にある。真実なみ仏の世界といって外にあるのではない。この身体の中にある。従って、身体を捨ててしまってどこかに求めても外にはない。迷いも悟りも自分にあるのだから、心を起《おこ》して悟りを求めれば到達する事が出来る。悟ってみ仏のように心が明るく豊かになるのも、煩悩に迷って心の中が暗《くら》くふさいでしまうのも他人にあるのではないから、信心し修行すれば忽ちに悟りを証する事が出来る――という意である。

仏法は心の中にある。この身体で修行すれば悟りが得られる、とお大師様が、『般若心経秘鍵』という心経を解釈された著書に述べられている。約千二百年も前に、「般若心経」は後世みんなに信仰されるだろうと観通された眼力に恐れ入らざるを得ない。その冒頭に、このお言葉があるのだ。

お大師様は非常によく勉強された名文家であるが、そのお言葉に触れさせて頂けるとは有り難い。この秘鍵の中には、次のようにいろいろ教訓になる名句がある。

「曽《か》つて医王の薬を訪《とぶ》らわずんば何れの時にか大日の光りを見ん」（名医の適薬の如きみ仏の名教に会わなかったならば、いつの時にか大日如来の素晴らしい霊的光明の後光に照らされる事が出来ようか）

「無辺の生死何《いか》んが能《よ》く断つ。唯禅《ぜん》那《な》正《しょう》思《し》惟《ゆい》のみ有ってす」（際限のない程、生まれたり死んだりしている迷いの世界からいかにして飛び出せるのか。それには唯《ただ》心を静めて正しい考え方をするしか方法はない）

「真言は《ナ》不思議なり。観誦《かんじゅ》すれば無明を除く。……三界は《ナ》客舎の如し。一心は《ナ》本居なり」(み仏の心境を誦《うた》った真言は不思議である。み仏を観想し念誦すれば災いを除いて下さる。……この世に住んでいるのは旅をして宿屋に泊っているようなものだ。宿屋は一時の借り宿であって、本居は実は生き通しの一心、法界に遍満している自分の心が本居である)

これらの名句は、心経を十住心によって解釈された説明である。それだけに奥行は広く、すごい新解釈をされたものだと感心する。心経の密教的解釈である。(空海全集二・三四九—五〇頁)

35　即身成仏の三摩地法

真言法の中にのみ即身成仏するが故に、是れ三摩地の法を説く。諸教の中に於いて闕《けつ》して書せず。

(即身義、全集一・五〇七頁)

これは、龍猛菩薩の『菩提心論』に載っているのを引用された一節である。真言密教の修法の中にだけ即身成仏するから、その仏と成るための三摩地（精神統一の方法）を説く。他の諸教の中には、その方法が欠けており、書かれている事はない――という意である。

多くの経典を読破された上での結論だと、推察される。今日までこれを破る説が出ない所を見ると、お大師様の主張が正しいのだろう。それにしても、お大師様の炯眼《けいがん》は素晴らしい。仏教の目標は、「即身成仏」にあると見定められたのだ。

そして「二経一論　八箇の証文」を『即身成仏義』にあげて、真言密教の哲理を完成された。六大体大・四曼相大・三密用大の三大説である。中でも六大体大縁起説が中心である。これは、業感縁起説・阿頼耶識縁起説・真如縁起説を統合する縁起説であって、仏教の哲理は一貫している。仏教は理論の通った教えである。そして、お釈迦様のみ教えがお大師様に至って「即身成仏」として結実した。

従って、真言僧は「即身成仏」の哲理を宣揚しなければならない義務がある。それにはお釈迦様のみ教えから始まって、お大師様のみ教えまでの肝要な仏教密教の哲理を学ばなければならない。実は大変な仕事だけれど、超偉人の二人の跡を辿る事には法を知る喜びがある。偉大な先師が渾身《こんしん》の力を籠《こ》めて、教えて下さっている。肝心要《かなめ》を攫《つか》めばよいのだ。何せ二千五百年の歴史があるから、資料は膨大《ぼうだい》である。その中で要を探し出すのだ。それには選択眼《せんたくがん》がいる。良い先生がいる。

私は、金山穆韶大阿を選んだ。一生師事した。私のお大師様のみ教えは、金山先生から学んだものである。よかったら、『金山穆韶著作集』(全十巻・うしお書店)を読んで頂きたい。私はこの先生によって、お釈迦様とお大師様のみ教えの神髄を教えられた。(空海全集二・二二三—四頁)

36　顕教と密教の立場の違い

勝義勝義《しょうぎしょうぎ》・廃詮談旨《はいせんだんじ》・聖智内証《しょうちないしょう》・一真法界体妙離言等《いっしんほうかいたいみょうりごんとう》といっぱ、是くの如くの絶離は即ち是れ顕教の分域なり。いわく因位の人等の四種の言語《ごんご》みな及ぶこと能《あた》わず。唯《ただ》し自性法身《じしょうほうしん》のみ有《い》ます。如義真実《にょぎしんじつ》の言《ごん》を以って解く是くの絶離の境界《きょうかい》を説きたもう。是れを真言密教と名づく。金剛頂等の経これなり。

（二教論上、全集一・四八五頁）

これはお大師様の『辯顕密二教論』巻上第十二、「法相宗との対弁」（小田慈舟著『十巻章講説』下巻・五九九―六〇七頁）に説かれている一節である。

慈恩法師の二諦義には、世俗諦に、⑴世間世俗諦、⑵道理世俗諦、⑶証得世俗諦、⑷勝義世俗諦、勝義諦に、⑴世間勝義諦、⑵道理勝義諦、⑶証得勝義諦、⑷勝義勝義諦とがあり、このように分けられている。この最後の勝義勝義諦は、言葉文字で表現する事も人間の思慮の及ばない高い境地で、ただみ仏の智恵で知る事の出来る一つの真如法界の真実である、と説いて、因位の人達の四種の言語とは、釈論に説く相《そう》（色相による言語）、夢《む》（夢を見ているような言語）、妄執《もうじゅう》（誤った執着による言語）、無始《むし》（無始以来の煩悩より起こる言語）の四種で、此等は妄言説である。第五の如義言説こそが、如来内証の仏境界を如実に説く真実な言語である、と述べられている。

顕教《けんぎょう》（真言密教以外の仏教）では、み仏の境地は凡夫の知り得る境界ではないと説く。密教では、み仏の心境を説く如義言説があり、第十・一一《いちいち》心識不二心があって、心境を知り得ると説く。自性法身に仏形ありや、説法ありや、衆生救済の霊用ありや、という事が論議された。顕教では、法身は常寂滅の空の理体であるから、色形もなく、説法もなく、衆生救済の利行もない、と説く。

密教は法身に仏形あり、説法あり、衆生救済の霊用あり、と説く。観る立場の相違である。迷いを含んだ因人の立場からは、み仏の心境は分からない。転送開悟された大覚のみ仏の立場（果人）から観れば、み仏は実在の中の真実在である。有の中の本有である。

顕教と密教との違いは、因位から観るのと、果位から観るのとの違いがある。果位から仏眼で観れば、衆生が仏なのである。金剛頂経等の経典がそれである。密教は密厳《みつごん》国土の仏境界そのままのみ教えである。（空海全集二・一七〇頁）

37　諸仏も我が身も法界身

諸仏も法界なれば我が身中《みなか》に在り。我が身も法界なれば諸仏中に在り。我が身業を以て諸仏の身に入れば、我、諸仏に帰す。諸仏の身を以て我が身業に入れば、諸仏護念したもう。

（念持真言理観啓白文、全集二・一八二頁）

み仏達は虚空に遍満したまえる大身であるから、我が身はその中にある。我が身も仏眼で観れば法界を包んでいる大身であるから、諸仏が我が身の中にある。我が身の行いをあげて諸仏の大身の中に入れれば、我は諸仏の身中に入る。諸仏の大身の中に我が身業を入れれば、諸仏は大慈大悲のみ心をもって愛護して下さり、その生長を護念したまう。我が口業も意業も同様である。諸仏は私達が正しく悟れるように配慮されて止む事がない——という意である。

この啓白文《けいびゃくもん》の中に、「一念の浄心は宛《ナあたか》も帝網《たいもう》の如し。両部界会、何ぞ影向《ようごう》したまわざらん。一刹《いっせつ》の深信は猶《ナ》《なお》し珠玉の如し。十方の諸仏、何ぞ証明せざらん」という句もある。一刹那《せつな》の浄心でもそれは丁度帝釈天の宮殿の因陀羅網《いんだらもう》のように、その網目にある無数の珠玉が、相互に光明を幾重にも映し合うように、金剛胎蔵の両部界会の諸尊諸衆に伝えられて、どうして御加護にお出でにならない事があろうか。一瞬間の深い信心でも、それは丁度価値のある宝石のようなもので、それは立派な事である、とどうして褒《ほ》められない事があろうか――という意である。

仏様に近付く事は有り難い事である。仏様は私達を愛護して下さっているからである。ましてや浄心や深信を起こした良い人達を、護念して下さっている。（空海全集四・三八〇頁）

38　大乗空観の門を通って密教に至る

大乗空観の猛火は、人法執着の塵垢《じんく》を焼いて遺余《いよ》あること無けれども、三密の不損は《ナ》猶《なす》し火布の垢尽《くっ》きて衣《ころも》浄《きよ》きが如し。

（吽字義、全集一・五三九頁）

これは汙《う》字門の一切諸法損減不可得の義を説明された中の一句である。大乗に至って空観という哲理が完成した。これは仏教の到達した素晴らしい成果である。因縁生無自性空の理論である。何物にもとらわれて悩む必要はない、という教えである。自分にも教法にも執着《しゅうじゃく》を起こすべきではない。その垢《あか》を残らず焼きつくして何物にもとらわれない清浄な境地に住するに至っても、如来の身・口・意の活動は何の損害を受ける事はなく、それは丁度布についていた垢《あか》が無くなって着物が美しくなったようなものである――という意である。

空観が至極ではない。入仏道に必要なくぐり抜けねばならない初門である、というのがお大師様の理解と態度である。従って、空観を排斥するのではない。けれども空観にもこだわってはいけない。空観を通って清まった所に密教の本覚大我の境が開けるのである。密厳《みつごん》浄土の曼荼羅の境地にまで進まなければならない、という教えである。

空観は通過しなければならない大乗仏教の門であるけれども、そこに止まってはいけない、という大事な教えである。（空海全集二・三一〇頁）

39　み仏は生き通しの命を持った方

第一の高祖は号して常住三世、浄妙法身、法界体性智、摩訶毘盧遮那《まかびるしゃな》如来と曰《い》うなり。

（真言付法伝、全集一・五〇頁）

第一の高祖は、過去・現在・未来の三世を生き通しのみ仏の事であって、自性清浄の絶大微妙な法身である。五智の中の中心の法界を体性とする智恵を得た方であり、大日如来と諸眷属は、自受法楽のために密厳《みつごん》浄土で法の楽しみをお互いに話し合っておられるのである――という意である。

この中で「み仏は三世常住」という一句が、とても私には有り難いと思う。お大師様がおっしゃっているのだから間違いはない。私達も仏の子だから、本質的に生き通しの今を頂いている。これを信ずるのが、密教徒お大師様の本当の信者である。因縁の法則の生滅増減の現象世界を越えて、因縁を遠く離れた如来の世界の事情である。み仏は肉体を離れた尊霊である。その尊霊と入我我入して成仏するのである。み仏はお浄土に生きておいで、私達を救ってあげようとして活動して下さっている。

信心をしてみ仏の意に叶えば、必ず救って下さる。その代りに、み仏の意に叶った生き方をする必要がある。霊験というものは必ずある。正しい祈りは聞いて頂ける。だから拝むのである。その根本中心のみ仏が大日如来である。霊的存在である。これを仰ぎ信ずるのが密教徒である。お日様は現世の存在である。有限な存在であるから、本当は喩《たと》えとすべきではない。大日如来は無限、法界に遍満の大身の方である。(空海全集二・四八七頁)

第五章　密教は色心不二の哲理を説く

40　私達は仏である

医眼の観《み》るところ百毒薬と変じ、仏慧の照すところ衆生即ち仏なり。衆生の躰性《たいしょう》、諸仏の法界、本来一味にしてすべて差別なし。

（平城天皇灌頂文、全集二・一五四頁）

秀れた医者の眼で観れば、人間の健康を害する毒薬が、忽ちに人間の健康を保つ良薬となり、み仏の悟られた智恵の眼で観られたならば、衆生（生命のあるもの）がそのまま仏様なのである。衆生の本来の体性と、諸仏のお住まいの法界宮とは、本来一味平等であってその差があるのではない。衆生も六大の体性で出来ているのであり、諸仏も六大の体性で出来ているので、区別があるのではない。この事を早く悟って、自身（自心）のうちに存在する仏様に目覚めて安楽に正しく生きるように、仏様は真言密教の真実な教えを説いて下さっている――という意である。

お大師様は、私達は「仏子」であるのだから、仏の子のように身・口・意を使って、仏国土を創造（安楽な国家社会の建設）する事が理想である、と示された。即身成仏の自利と、密厳《みつごん》国土の創設の他利と、二つの目標を提示された。

なお、この灌頂の文には、「本有《ほんぬ》の金剛薩埵無始無終にして生滅なく、性相常住にして虚空に等し」（同・一六三頁）、（本来から頂いている仏子としての私は、無始無終にして生じたり滅したりする事無く、本性も姿の相も三世常住であって恰《あたか》も大空のようなものである）という一節もある。

仏様の眼で観る事の大切さを教えられている。平城《へいぜい》天皇に申し上げられた一文であるだけに、真言密教の枢要が述べられている（空海全集四・三二三―四頁、三四一頁）

41　法身は大虚の如し

法身《ナ》は大虚に同じて無碍《むげ》なり。衆象《しゅうじょう》を含《がん》じて常恒なり。故に大空と曰《い》う。諸法の依住《えじゅう》する所なるが故に位《い》と号す。

（即身義、全集一・五〇七頁）

宇宙を身体としていらっしゃる大覚の法身は、大空と同じで何のさしさわりもない。宇宙の万物を含んで永遠に存在する。故にみ仏の事を大空とも言う。万物の依り所となっているので、「位」と呼んでいる――という意である。

これは大日経の「悉地出現品」（大正蔵一八・二二頁上）に載っている「此の身を捨てずして神境通を逮得《たいとく》し、大空位に遊歩《ゆぶ》して身秘密を成ず」の大空位を解説された一節である。

また、「真言法の中にのみ即身成仏するが故に是の三摩地の法を説く。諸教の中に於いて闕《けっ》して書せず」（『菩提心論』）ともあって、真言密教の法の中にしか即身成仏が出来ないから、このみ仏と人間との融合一致を説くので、他の経典には欠けていて一切書いていない、と宣言された。お大師様が即身成仏義を主張されるため「二教一論八箇の証文」を挙げられるうちの一つである。それにしてもよく修行し、勉強されて、お釈迦様の教えの要《かなめ》は即身成仏にあると断定された。その炯眼《けいがん》に敬服する。

そして、「法身自証の三摩地なり」（全集一・五〇七頁）とあって、大日如来のお悟りの心境である。その境地は、丁度大空のように自由自在で万物を統一して曼荼羅体となっている。法身のみ心は大虚空のように広大であるから、ゆったりとしている。大虚空を手本にして見習いたいものだ。(空海全集二・二二三頁)

42　小我から大我へ

大空はすなわち大自在なり、大自在はすなわち大我なり。大我よく大空を証す、大我は一切の法に於て無著《むじゃく》無得《むとく》なり。是れすなわち如来の智慧なり。

(十住心論七、全集一・三五三頁)

大虚空というものは、何も遮《さえぎ》るものがないから、自由自在に飛ぶ事が出来る。その自由自在という事は大我、法身大日如来の事である。大我はよく大虚空の境地を知っている。大我は万物にとらわれもなく、自分のものとして独占もしない。包むだけである。これがすなわち如来の智恵というものである——という意である。

お大師様はお名前を空海と名乗られたように、コセコセはなさらない。大空の高く広いように優々《ゆうゆう》としておられる。大虚空は悟りの境地の表現として好まれている。大空のように何物にとらわれる事なく、自在に活動出来る事を理想とされていたのだろう。

人間は自己本位で、自分の利益や感情にとらわれ易い。そこで、自我から離れる無我が教えられた。とらわれを離れた境地が、その人の良い能力を自在に発揮出来るので、空無我の境地が尊ばれた。お大師様は、この無我の境地の中から大我を見出された。我が無いのでは本当に働けない。小我ではなく、大我として活動するみ仏の浄土を建立された。我が正しく大活躍をする世界である。

小我は制する必要があるので無我の教えがいるが、無我の境地に到達出来たら大我の活躍となるので、無我は通過する過程であって、そこに留まるべきではない。自然に大我の働きになるので、我を大きくすればよい。大我が本当のお大師様の我の生き方である。

(空海全集一・五四九—五〇頁)

郵便はがき

料金受取人払郵便

天王寺局
承認
207

差出有効期間
2025年2月28日
まで

（有効期間中
切手不要）

5438790

大阪市天王寺区逢阪二の三の二

（受取人）

東方出版 愛読者係 行

〒

●ご住所

●ご氏名《ふりがな》　TEL　FAX

●購入申込書（小社へ直接ご注文の場合は送料が必要です）

書名	本体価格	部数
書名	本体価格	部数

ご指定書店名	取次
住所	

愛読者カード

●ご購読ありがとうございます。このハガキにご記入いただきました個人情報は、ご愛読者名簿として長く保存し、またご注文品の配送、確認のための連絡、小社の出版案内のために使用し、他の目的のための利用はいたしません。

●お買上いただいた書籍名

●お買上書店名

県　　郡・市　　書店

●お買い求めの動機（○をおつけください）

1. 新聞・雑誌広告（　　　　）
2. 新聞・雑誌記事（　　　　）
3. 内容見本を見て
4. 書店で見て
5. ネットで見て（　　　　）
6. 人にすすめられて
7. 執筆者に関心があるから
8. タイトルに関心があるから
9. その他（　　　　）

●ご自身のことを少し教えてください

◉ご職業　　年齢　　歳　　男・女

◉ご購読の新聞・雑誌名

◉メールアドレス（Eメールによる新刊案内をご希望の方はご記入ください）

●図書目録をご希望の場合は送付させていただきます

◉希望する□　◉希望しない□

通信欄（本書に関するご意見、ご感想、今後出版してほしいテーマ、著者名など）

43　お日様はいつも天空に輝いている

日輪は雲の為に悉く隠蔽《いんぺい》せらるれども滅壊《めっかい》するに非《あら》ず。また猛風雲を吹き除いて日顕《ナ》わるれども始めて生ずるに非ず。是れすなわち本覚の日輪、無明の雲の為に既に覆《ふく》障《しょう》せらるれども滅する所なく、実相を究意じて正覚円極すれども増する所なきに相似せり。

（雑問答四、全集四・一四五頁）

お日様が雲のために全く隠されてしまって見えないけれども、お日様が無くなったのではない。また、猛烈な大風が吹いて雲を吹き払ってお日様が明るく輝いたとしても、お日様が始めて生じたのではない。お日様は雲のあるなしにかかわらず大空にずっとおいでる。それと同じように、生まれた時から頂いている本有《ほんぬ》の悟りの明るいお日様のような円満な心は、真っ黒闇な迷いの雲のために覆われて見えないけれども無くなっているのではなく、また悟りの真実な姿を成就《じょうじゅ》して正しい悟りを円満に達成しても真実相が増えるのでもないのと、よく似ていると言うべきである――という意である。

お日様は雲に関係なく宇宙に輝いておいでるように、私達の浄心には本覚の心の日輪がいつも輝いている、と喩《たと》えを引いておっしゃっている。私達には、本覚の日月輪が輝いているなんて信じがたい事かもしれないけれど、み仏の眼にはちゃんと光り輝いているとおっしゃるのだ。

これを信じて信仰するのがお大師様の信者である。悟りの心が本《もと》から具わっている。それを少しでも現せばよいのだとおっしゃる。こんな安心な教えはない。信心とは大安心を得るためにする。

44 我即大日の教え

眷属《けんぞく》は猶《なお》雨の如く
遮那《しゃな》は中央に坐す

遮那は阿誰《たれ》が号《な》ぞ
本　是れ　我が心王なり
三密　刹土《せつど》に遍《あまね》く
虚空に道場を厳《かざ》る

（性霊集一・山に遊ぶ、全集三・四〇二頁）

志を同じくする従者は、雨粒のように多い。毘盧遮那仏（大日如来）は中央に厳然としておわします。この大日如来とは、一体誰のお名前でしょうか。本当は私の心なのです。身・口・意の三密は国中に一杯にゆきわたり、大空一杯に仏道修行の場所を飾ります――という意である。

大日如来とは何方《どなた》のお名前なのですか、との質問には吃驚《きっきょう》する。そして、私自身の心なのです、という答えは驚きである。これを「我即大日」と申している。密教の悟りは、自分が仏である事を自覚し、仏様らしく生きる事にある。私の三密は実は法界に行きわたっている。法界の虚空一杯が私の修行道場である。大空のように大きく考えたらよい、

という教えである。（空海全集六）

45　仏様の持ち物で仏様の気持ちを聞く

一道無為住心の所説の法門は、是《ナ》れ観自在菩薩の三摩地門《さんまぢもん》なり。ゆえに観自在菩薩の手に蓮華を執《と》って、一切衆生の身心の中に、本来清浄の理あることを表《あらわ》す。

（十住心論、全集一・三六四頁）

これは、『秘密曼荼羅十住心論』巻第八「真言の密意」に述べられた一節である。一道とは一実中道の略であり、真実にして片寄りのない、もう迷いを離れた清らかな境地の教えというのは、これは観音様の精神統一の瞑想の境界である。だから観音様は手に清らかな蓮華の華《はな》を持って、すべての人々生き物の身と心の中に、本来法として頂いている自性清浄の理がある、という事を教えられている——という意である。

私の身心の中に、法として頂いている自性清浄《じしょうしょうじょう》の法の宝がある、とは何とも有り難い事である。この事を教えんがために、観音様は手に蓮華を持って示しておられるのである。だがこの結論に至るまで、仏教僧はどれ程苦労されたかを思ってあげねばならない。仏教はその哲理が承認されない限り、その理論を主張する事が許されない宗教だからである。どうして自性清浄の理があると証明出来るのか、が議論された事だろう。その長年の論争の末に、本来法爾《ほうに》として自性清浄の理がある、と承認されて経典に記録されたのである。

そして密教の時代となって、蓮華という形のあるものが仏像に取り入れられて、観音様の三摩耶形（心を表現する持ち物）として祭られるようになった。こういった変化を考える時、この一句の重さ、有り難さが実感されると思う。（空海全集一・五八三頁）

46　色心不二の果位の立場から観る

心色異なりと雖《いえど》もその性即ち同なり。色即ち心、心即ち色、無障《むしょう》無碍《むげ》なり。

（即身義、全集一・五一二頁）

心とは精神の事、色とは物質の事を言っている。精神と物質とは違う面があるけれども、その本性は同一である。物質は精神であり、精神は物質である。何のさし障《さわ》りもなく、お互いに入り交っている――という意である。

だから、「四大等、心大を離れず」（同・五一一―二頁）とあって、地水火風の物質界の四大は、精神の心大を離れる事はない。そして、その次に上掲の一節となっている。

更に、「智即ち境、境即ち智。智即ち理、理即ち智、無碍《むげ》自在なり」（同・五一二頁）と続いている。み仏の大智は境界となって現れ、境界は大智となって現れる。大智は真理となって現れ、法は境となって無碍《むげ》証《しょう》入《にゅう》自在である、と述べられている。

これは色心不二、境智不二、理智不二のみ仏の境界を説かれている大事な密教の哲理の所である。精神と肉体とは一つの現れであるから、納得がいき易いのであろう。環境とそれを知る大智とが不二同一である事はちょっと難しいけれども、物質界の環境を心の智恵で探究《たんきゅう》して、今日の科学文明が生まれているのだから、物質と人間の智恵とは入り交っている。

物質を離れて智恵があるのではない事が分かるであろう。これが分かれば、胎蔵界の理と金剛界の智との不二も了解出来るだろう。一つが分かれば他のものも分かる。色心不二という哲理をよく考えてみたい。（空海全集二・二三六頁）

47　空と有

色は空に異ならざれば、諸法を建てて宛然《えんぜん》として空なり。空は色に異ならざれば、諸法を泯《ほろ》ぼして宛然として有なり。

（十住心論、全集一・三三八頁）

これは『十住心論』の中の「覚心不生住心」第七（空海全集一・五一四頁）に載っている一節である。般若心経にある「色即是空、空即是色」の一節の解釈である。仏教は万物の移り行く姿を観て、大乗空観の哲理を樹立した。

存在するものは空であり、空はそのまま存在している。人は死んだら、肉体は空に帰る

――という意である。

或る時、数え三十六歳になった主婦が、五歳の男の子と二歳の女の子を残して、交通事故で急死された。葬式がすんで火葬場に行って、いよいよ遺体に点火する段になって、主人は二歳の女の子を抱いて、点火する事が出来ず、その前に横倒れになって泣かれた。会葬者は主人の気持ちを思って、思わず貰い泣きをした。親類の人が主人を助け起こして、点火させられたが、人生には悲しい事が起こるものだ。

私は、男の平均生存年齢を越えて十分に生きさせて頂いたが、それでも火葬になるのは嫌で、朝目が覚めたら、「あァ、今日も生きさせて頂いている」と喜んでいる。それで人間は生きられるのだろう。自然に息が止まるまで頑張るのが人間の勤めだと思って、生きさせて頂いている。そして好きな事を書かせて頂いている。

生きている限り、何かを創造する事が人間の喜びである。お大師様の聖語に触れて、人生を終りたいと念願している。（空海全集一・五一四頁）

48　三種世間は皆是れ仏体である

水外に波なし、心内即ち境《きょう》なり。草木に仏なくんば、波にすなわち湿《うるおい》なけん。彼に有って此に無くんば、権《ごん》に非《あら》ずして誰《だれ》ぞ。

（吽字義、全集一・五四四頁）

水のない所には波は立たない。心が外に現れて環境となる。草や木や非情物と言われている物が成仏しないというのであれば、波に水の湿《うるお》いがないと言わなければならないだろう。あれには存在していて、これには存在しないと言うのであれば、それは仮にそう言うのであって本物ではない――という意である。

三種世間と言うのは、衆生世間《しゅじょうせけん》（人間の住んでいる社会の事）、器世間《きせけん》（人間の住んでいる環境の社会の事）、智正覚世間《ちしょうがくせけん》（み仏達の住んでおられる安楽な国土の事）である。凡夫の立場で見れば迷いの世界だけれど、み仏の眼で観れば、この世が仏世界なのである。この世が仏世界になるように努めなさい、という教えである。これを「密厳浄土建設《みつごんじょうどけんせつ》」と言っている。三密によって荘厳《しょうごん》されたみ仏達のお浄土となれる、とおっしゃっている。「即身成仏」の自利と、「密厳国土」の他利と、この二つが真言密教の理想像である。

（空海全集二・三二二頁）

49　信仰とは自心をよく知る事

いかんが菩提とならば、いわく実の如く自心を知るなり。

（十住心論序、全集一・一二九頁）

これは大日経（大正蔵一八・一頁）に載っている有名な句である。み仏の帰りというのは外でもない、自心を真実にありのままに知る事だ——という意である。

悟りを他に求めるのではない。自分の心に求めるのだと宣言された。そして三句の法門として、「菩提心を因とし、大悲を根とし、方便を究竟とす」（全集・同頁）と載っている。

お釈迦様の求められた悟りの心を起こす事。自分の心の中の自性清浄心《じしょうしょうじょうしん》を拝み出す事。止悪修善の心を起こす事。この心を起こす事が仏教徒の第一条件である。第二には、大慈大悲の心に住する事を根本とする事。人に害を与える事をしないで、少しでも幸せになるように優しい心でいるように努める事。第三に、人々を安楽にする手立てを考え実行する事。とまとめられている。

この大日経を創造著作された高僧の識見に敬服するのである。すごい学力と智見である。しかも自分の名を記《しる》さず、奥床しい限りである。名利のために書かれたのではない。ただ密教の法を鮮明《せんめい》にするために令法久住《りょうぼうくじゅう》のために努力されたのだ。見習うべきである。

（空海全集一・一四―五頁）

50　私達の心には染と浄の心がある

菩提心とは即ち是れ諸仏の清浄法身なり。また是れ衆生の染浄の心なり。本を尋ね根源を遂《お》うに本より生滅なく、十方にこれを求むるに終《つい》に不可得なり。
（秘密三昧耶仏戒儀、全集二・一四一頁）

悟りを求める心とは、これはみ仏達の清らかな法のお身体である。又これは、生ある者の汚《けが》れた心と、清らかな心である。その根源を尋ね求めてみると、本来生ずる事も滅する事もない永遠の存在であり、遮情の立場からは、十方にこれを求めても、これだといって確定出来るものではない。表徳の立場からは、十方に遍在するものだからである。だから何処ででも、いつでも菩提心を起こす事が出来る――という意である。

そして四摂《ししょう》として、布施・愛語・利行・同事（他人と協力する事）が説かれ、四重禁戒として、真言行者の守るべき戒律が説諭《せつゆ》される。第一は、正法を捨てて邪《よこしま》な行為を起こすべからざるの戒。第二は、菩提心を捨離すべからざるの戒。第三は、一切の法に於いて慳悋《けんいん》すべからざる（法を惜《お》しむべきでない）の戒。第四は、一切衆生に於いて不饒益《ふにょうやく》（不利益となる）の行《ぎょう》を作《な》す事を得ざるの戒。この四つである。その他十重戒などが説かれているが、特に四摂と四重禁戒は重要である。

お大師様は『秘密三昧耶仏戒儀』として一章を編《あ》んでおられるのだから、真言行者はよく読み、体せられるべきであろう。菩提心を発《おこ》すという事は、信仰の始めであり、又終わりである。(空海全集四・二九四―五頁、三〇七―一一頁)

51　三密《さんみつ》は法界に遍満している

平等の三密《さんみつナ》は法界に遍じて常恒《じょうごう》なり。五智四身《ごちししんナ》は十界に具して欠《か》けたること無し。

(声字義、全集一・五二一頁)

仏・自心・衆生(人々)に平等に法界に遍満している如来の身・口・意の三密は、三世常恒である。法界体性智・大円鏡智・平等性智・妙観察智・成所作智《じょうしょさち》の五智も、自性法身・愛用法身・変化法身・等流法身の仏身の四身にも、地獄・餓鬼・畜生・修羅・人・天・声聞・縁覚・菩薩・仏の十界にも遍満して欠けている所がないのが、如来の三密である――という意である。

如来の三密は、この法界を包んで余《あま》す所がない。あなたも私も如来の中に包まれている。仏界の中に生かされている事を自覚すべきである。

お大師様は上掲の一節に続いて、「衆生癡暗《ちあん》にして自《みずか》ら覚るに由無し。如来加持して其の帰趣を示し玉う」（人間は愚《おろ》かであるから自分で正道を悟ろうとしない。そこでみ仏は人々を加護して、これが正しい生き方だ、と教えて下さるのである）というものである。

平等の三密も、五仏の五智も、四種の仏身も、十界に行き渡っている、というのが密教徒の安心《あんじん》である。たとい地獄に落ちたとしても、仏様に包まれて救って下さっている、という安心感がある。人を傷つける悪事をして、こんな悪い事をしてはいけない、と自覚するのが悟りへの出発点である。だから地獄にも仏様がいらっしゃって、その自覚を待って下さっている。仏様の慈悲の光明は、どこにでも遍《あまね》く差している。（空海全集二・二六五頁）

52　いつでも正法《しょうぼう》の世である

双円の性《しょう》海《かい》には常に四曼の自性を談じ、重《じゅう》如《にょ》の月殿には恒《つね》に三密の自楽《じらく》を説くに洎《およ》んでは、人法法爾《にんぽうほうに》なり。興廃いずれの時ぞ。機根絶々たり正像《しょうぞう》何ぞ別《わか》たん。

（法華経開題、全集一・七五六頁）

双円とは、『釈摩訶衍論《しゃくまかえんろん》』巻十に説く円円のこと。同巻一には、性徳円満海と説かれている。

自性に具わっている功徳は海のように広く円満であって、常恒に四種の大・三昧耶・法・羯磨の曼荼羅の活動の相を現し、真如真如の法を説かれるみ仏の宮殿には、いつも身・口・意の自受法楽の秘密の働きが説かれている、と言うに及《およ》んでは、説く人も説かれる法も、三世常恒である。法が興《おこ》ったり廃《すた》れたりというものではない。機根のある者が絶えてしまうというものではない。正《しょう》法《ぼう》と言って正しく法が行われる時代と、像《ぞう》法《ほう》と言って次第に正法が衰《おとろ》えていく時代と、末法と言った区別もない。時間、空間を越えている。

いつでも正法の時代であり、いつでも正法に合える——という意である。

真言密教の立場を明らかにされた一節である。大日如来は三世常恒である。六大・四曼・三密の三大の法門は、三世常住である。因縁生滅の変化の世界を越えている、人法法《にんぼうほう》爾《に》の世界である、とお大師様は宣言された。この法爾の光明心殿に入るのが、密教の悟りである。それはありのままにみ仏の世界に入ればよいので、かしこまる必要はない。心を清めて仏子として生まれ変わればよいので、難しい事ではない。この世がみ仏の法界なのだから、み仏の世界へそのまま入ればよいのである。

その仏界に入る条件としては、菩提心を起こし、よい誓願を立てる事（菩提心戒と三摩耶戒の真言を唱える事）である。これは葬式の時、「引導作法」の中で授けているけれど、生きているうちから信心するのがよいだろう。仏様はいつでも受け取って下さる。いつでも仏子として生きられる。人法法爾であるからである。（空海全集三・二九八頁）

第六章　密教は大欲得清浄の秘説を説く

53　煩悩も仏の密号名字《みつごうみょうじ》

三毒五逆みな是れ仏の密号名字《みつごうみょうじ》なり。もし能くこの意《い》を得るときはすなわち染浄に著《ちゃく》せず、善悪に驚かず、五逆を作《な》して、忽ちに真如《しんにょ》に入り、大欲を起して、乍《たちま》ちに法身《ほっしん》を得《う》。

（梵網経開題、全集一・八一五頁）

貪《とん》・瞋《じん》・痴《ち》の三毒とは煩悩の起こる心の働きの根本であり、五逆罪とは母を殺し父を殺し阿羅漢という聖者を殺し仏身から血を出だし和合僧《わごうそう》の仲を破って争わせる、という僧としてしてはならない基本の戒めであるが、そのいずれもが仏様の深奥のお名前である。従って、もしこの深意を体得する者は、染浄とか悪い事とか善い事とかにとらわれず、五逆罪という大罪を犯しても仏様のお国に入る事が出来、大欲を起こして好き気ままにしてもみ仏のお国に入る事が出来る――という意である。

これは又、大変な主張である。三毒は起こしてはならず、五逆罪は犯してはならない重罪の中の重罪であるのに、それを犯しても仏様になれるのだ、と主張されるのである。これでは、お大師様は無茶苦茶を言われているのではないか、と思われるかも知れない。

だが、「三毒五逆は仏の密号名字なり」という条件に注意しなければならない。仏様の行動であるとおっしゃるのだ。これはどういう意味であろうか。これは、「婬欲《いんよく》即ち是れ道。恚癡《いち》もまた然り」（本書一三〇頁）と同じ趣向である。人間に付いているものを忌み嫌うな、という事であり、よくそれを観て見よという事だろう。大空三昧に入って善悪から離れてみて、良く観れば仏の密号名字となるという意であろう。

煩悩即菩提の哲理の延長である。三毒五逆をした人をも救う、み仏の大慈大悲の思いである。自分なりの答えを出すべき密教の公案と考えたい。（空海全集三・四五〇頁）

54　生死即涅槃　煩悩即菩提の教え

生死即ち涅槃なれば、更に階級なし。煩悩即ち菩提なれば、断証《だんしょう》を労《ろう》することなし。

（十住心論七、全集一・三三八頁）

大乗には空観という哲理がある。因縁生のものは空であるという高い境地の観方である。従って、生まれたり死んだりしているこの世の現象は、そのままで涅槃の悟りの世界である。だから、凡夫からみ仏への五十二位という階級はない。凡夫の迷いがそのままみ仏の悟りに昇華するから、煩悩を断滅したり菩提を証得したりする必要もない――という意である。

この世でありのままに悟ればよいので、とらわれて悩む事はない。悟りは生死の世界を、み仏の眼で観ればよい。迷いもみ仏の眼から観れば、そのままで悟りなのだから、迷いだ悟りだと言ってとらわれる必要はない。因縁生は無自性空であるからである。三論宗は大変な事を主張された宗旨である。

これは龍樹という仏教の大哲学者（三世紀頃の人）が、因縁の論理を厳密に検討した結果到達された哲理で、『中論』という論部の書として残されている。大乗はこの空観を通過した上での仏教思想である。従って、仏教徒は大乗空観の哲理を通らなければ分からない。空の哲学によってあらゆるとらわれから越えられる。死を悟ればこの世の悩み、とらわれから越えられるようなものである。だから生死即涅槃、煩悩即菩提は、大乗空観を通過した上での悟りである。

ただし、お大師様は空に留まるべきではない。空観を通って、その奥の密教の本覚の密《みっ》厳《ごん》国土に転昇する事を教えられた。(空海全集一・五一五頁)

55　奈良の大仏様は私の身心の中においでる

法身いずくにか在る。遠からずして即ち身なり。智体いかんぞ。我が心にして甚だ近し。本来《もとよりこのかた》無去《むこ》にして鎮《とこ》しなえに満月《まんがつ》の宮に住す。如今《いま》不生《ふしょう》にして赫日《かくじつ》の台《うてな》に常恒《じょうごう》なり。摂下《せつげ》の迹息《あとや》まず。

(性霊集七・平城東大寺にして三宝を供する願文、全集三・四八三頁)

東大寺の本尊毘盧舎那如来は、一体どこにいらっしゃるのでしょうか。それは遠い所においでるのではない。それは我が身体においでる。み仏は一切智智に満ちていらっしゃると聞いていますが、その優れたお智恵は一体どこに在るのでしょうか。それは我が心の中に在るので、甚だ近いと言わねばならない。もとよりこのかた立ち去るという事はなく、清らかな満月が大空に日光に輝くように、明るいみ仏の宮殿にお住まいである。今に至るまで不生不滅の生き通しの命をもって、お日様のように人々に恵みを与えられて止む事がない。この法楽を受ける喜びは、本当にきわめつくす事は出来ない——という意である。

月輪観・日輪観の事にも触れられている。お大師様の教えは、とても明るい。それはみ仏の心境に到達されていたからであろう。み仏のお心は満月のように清らかで、お日様のように明るく晴れ渡っていたからであろう。（空海全集六）

56　婬欲《いんよく》即ち是れ道の教え

婬欲《いんよく》即ち是れ道。恚癡《いち》もまた然り。

（梵網経開題、全集一・八一四頁）

これはまた大変な事を述べられた一句である。理趣経の十七清浄句もこの思想から生まれたのであろう。その前文には、「一切の無明煩悩、大空三昧に入りぬれば則ち都《すべ》て所有《しょゆう》無く、一切の塵垢《じんく》、即ち財《たから》と為《な》る」（同書・同頁）とある。

すべての暗闇のような迷い執着（とらわれ）もすべて大空三昧に入ったならば、もはや迷いではなく、一切の塵あくたのようなよからぬ汚《けが》れもすべてが財《たから》となって、宝石のように美しい財産となる。三毒の煩悩、貪《とん》・瞋《じん》・痴《ち》も全く同様である――という意である。

性欲というものは、人間の隠れた強い欲望である。人類が継続していくための本能である。それだけにまた、問題も間違いも起き易い。お釈迦様は在家の方には不邪淫戒を、僧尼には不淫戒を制せられた。それが性欲も仏道である、清浄なものであると断言されたのである。ただし大空三昧に入って、執着を離れた金剛薩埵の境地に入るという条件がいる。ただ無闇《むやみ》に尊い仏道だとは言われてはいない。しかし、婬欲も聖なるみ仏の活動の一つであると主張し、その哲理に昇華するのには、長い時間と深い思索が必要だったであろう。

日本でも、これを間違えて解した立川流なるものが発生している。しかし、清らかなみ仏の境地に到達したならば、婬欲即是道であるという教えは有り難い。
現在、日本の僧は殆んど妻帯《さいたい》している。それはこの哲理によったものである。しかし、経典にまで取り上げられるとは驚きである。間違いのないように真面目に考究し、行動したい。（空海全集三・四四八頁）

57　儒教の五常の徳

人に博愛の徳有りこれを仁《じん》という。厳断《げんだん》の徳有るを義《ぎ》となし、明かに尊卑敬譲を弁ずるの徳有るを礼《れい》となし、言虚妄《ことこもう》ならざるの徳有るを信《しん》となし、照了の徳有るを智《ち》となす。この五つの者は是れ人性の恒《つね》なり。暫《しばら》くも捨つべからず。故に五常と謂《い》う。

（十住心論、全集一・一八四頁）

儒教では五常といって、仁・義・礼・智・信を人間の守るべき徳目として挙げて尊重している。

人間には、お互いに優しく人のために尽くそうという良い心がある。これを仁と言っている。人間の行いには善と悪とがあるから、破邪顕正《けんしょう》しなければならない。これを義と言っている。人間の社会は協同社会であるから、お互いに尊重しあい敬意を持ちあう事が必要である。これを礼と言っている。人間は言葉文字という便利な文化を持っているから、言葉は真実な嘘《うそ》を言わない事が大切である。だまし合っていたのでは、損害を受けるからである。これを信と言っている。善悪正邪を明らかに判断し、行いをあやまらないのを智と言っている——という意である。

五常の教えはよい教えである。十住心では第二住心にあてている。聖人賢人はそれぞれ人間の守るべき規律を示されている。学んで生きて行く上の指針とすべきである。広く良い教えを聞くべきである。これは道理だと思ったら、受け入れるべきである。教えは一杯にある。仏教にもある。どこでも誰からでも教えを聞くという広い心を持っていたい。

（空海全集一・一四一頁）

58　生滅と本不生

一味の甘露は器《き》に逐《したが》って色《いろ》を殊にし、一相の摩尼《まに》は色《いろ》に随って影《かげ》を分《わか》つ。

（付法伝、全集一・一頁）

この「甘露」というのは、梵語のAmritam（不死の意味）で如来の一切智智に喩《たと》え、如来の教法を甘露の法雨と称し、また涅槃の境地に喩えられた。お釈迦様は悟りを得て、「修行者どもよ、……耳を傾けよ。不死が得られた」（『聖求経』「南伝」九・三〇八頁）と初転法輪に師子吼《ししく》された。

その甘露（霊薬）は入れ物の違いに従って色が変わり、一つの摩尼宝珠は外の色の違いによって、違った色を発するという――という意である。

この一相摩尼について金山穆韶先生は、南池院源仁僧都が、その師真雅僧正の質問された答えとして、

「答う。仏眼の所見には、本従《よ》り己《こ》の来《か》た生も無く滅も無し。是の一念、法界の一如の

体なり。然りと雖も本源を知らざる者の為に、無相に相を示して諸法縁起す。縁起の諸法は本源を離れず。生滅の二相本有常住、共に法界月輪の中に於ての生滅の者なり。縁謝すれば即ち滅し、機興《こう》ずれば即ち生《しょう》ずるは、亦是れ法界の生滅なり。其の生滅といっぱ、細色外縁に依って麁《そ》色と成るを生《しょう》と云い、麁色縁謝して本《もと》に帰るを滅《めっ》と云う。是の故に諸法の当体直ちに本不生、是を阿字本不生と云う也」（『真言密教の教学』三九八頁）

と述べられている。

一相摩尼の宝珠は衆色を具していて、外縁に赤色が来た時に、本有の細色の赤色が外縁の赤色に牽《ひ》かれて麁《そ》色の赤色を現ずる。これを赤色の生と言い、縁謝して赤色の消えるのを滅と言う。細色を本不生と言い、麁色の生滅を縁起と言う。そうすると、一相摩尼の本有の体を体得するのを悟りと言い、生滅しか見ないのを迷いと言っている。生滅に即して本不生を体得せよ、と示されている。

悟りと迷いの違いを示された一句として、私は有り難いお大師様のお言葉と受け取っている。『秘密曼荼羅教付法伝』の第一、叙意の最初に書かれているのだから、真言密教の真髄《しんずい》を示されたのだろう。従って、悟りと言って遠い所にあるのではない。万物の生滅をいかに観るか、にかかっている。お釈迦様の「不死」、真言密教の「本不生」にかかっている。

悟りの境地に到達するために、いろいろの角度からの解明が教えとしてなされているのであるから、自分に一番適した方法によって、悟りへの道へ近付けばよい。道はいろいろあるのだから。この細色と麁色の関係によって、阿字本不生の本質と因縁生滅の現実をよく考えてみたい。（空海全集二・三七九—八〇頁）

59　如如《にょ》の理と空空《くう》の智を越える

如如《にょ》如如の理、空空《くう》空空の智の如きに至っては、足断えて進まず、手亡じて及ばず。奇なるかな、曼荼羅。妙なるかな、我が三密。

（平城天皇灌頂文、全集二・一五九頁）

如如（さながらに生きる）の真理も、空空（因縁生無自性空の大乗空観）の智も、共に足を失って前に進む事が出来ず、手を失って何事も出来ないのと同じ事である。この如如と空空を越えて、密蔵の境に進まねばならぬ——という意である。

真如縁起説は立派な教えであるけれど、妄法有力での縁起説であるから、お大師様はこれをも越えて六大縁起説を樹立されたのであるし、大乗空観の教えは立派であるけれども、それを越えた大空の境地にまで進む事を要請された。それらの奥に本当の仏地があると示された。

そこが曼荼羅世界であり、三密の密厳《みつごん》国土である。この仏智見にまで進む事である。

（空海全集四）

60　衆生界は法界となれる

界に三種あり。いわゆる法界《ほうかい》と心界《しんかい》と衆生界《しゅじょうかい》となり。法界を離れて別に衆生界なく、

衆生界即ち是れ法界なり。心界を離れて別に法界なく、即ち是れ心界なり。当に知るべし、この三種は無二無別なり。云云

（大日経疏要文記、全集一・六〇七頁）

界という分類には三種がある。法界と心界と衆生界とである。然してみ仏の境界である法界を離れて、別に衆生界がある訳ではない。私達の住んでいる衆生界が、そのまま実は法界なのである。私達の心を離れて別に法界はなく、心界はそのまま法界なのである。自分の心をよく観て、善を育て悪を制するならば、心界がそのままみ仏の法界となる。だからよく知って頂きたい。この三種は別々の存在ではなく、実は一つである――という意である。

私達は区別すると、別々の存在と思ってしまうけれども、そうではない。その底では融通無碍《むげ》であって、通じあっている本質がある。別々と見るのは私達の見方であって、同一と観るのがみ仏の観方である。見る立場が違うのだ。この三つの界は実は同一と観るのが良い、と言われる。み仏の眼から観れば、衆生の心そのままが、み仏のみ心になれるのだ。

この浮世は、分別智によって構成されている。み仏の世界はそれと共に、無分別智によって構成されている。分別智から無分別智に至るのに、大乗空観の門がある。この門を通れば、三種は無二無別である事が分かる。み仏の法界と言って、別にそういう世界があるのではない。この衆生界そのものが法界となれるのだ。

従って、分別智と無分別智によって、昇華転昇して清めれば良いのだ。分別智によって原子爆弾は出来たが、これを使用するかしないかは、無分別智（仏智）によって判断しなければ、人類は大損害をこうむる。知識は、み仏の仏智にまで高める必要があるのだ。その理《ことわり》を示して下さるのが、み仏様なのだ。

そこで三宝を拝むのである。三種が一つになって、そこに安心した社会が出来るのだ。分別智では競争の世界、争いの世界となり易い。無分別智だけでは、物事をやり遂げる元気に欠ける恐れがある。両方を包んで、その良い物を取り入れるのだ。そこに平和で安全な社会が生まれる。

もしも衆生界が法界になれないのならば、「事に即して而《しか》も真（実）」という事は言えない事になる。分別智も真実になれる。無分別智に住して分別智を良い方に使うならば、衆生界は法界となるのである。煩悩即菩提の大乗空観の哲理は、そこにあると私は思っている。有から空無へ。空から大空へと転昇する所に、衆生即仏、即身成仏の教えが成立する。

(空海全集三・六〇八頁、六一二頁)

61　衆生秘密と如来秘密

秘密に且《しばら》く二義あり。一には衆生秘密、二には如来秘密なり。衆生は無明妄想を以て本性の真覚を覆蔵《ふくぞう》するが故に衆生自秘という。応化の説法は機に逗《かな》って薬を施す。言《ことば》虚しからざるが故に。ゆえに他受用身は内証を秘してその境を説きたまわず。すなわち等覚も希夷《きい》し十地も離絶せり。是れを如来秘密と名づく。

(二教論、全集一・五〇五頁)


秘密の語はいろいろに使われているが、真言密教では二つの義に使われている。一つには、私達人間の側の秘密。二つには、み仏の側の秘密。人間は自分の痴暗《ちあん》や迷いでもって自分が生まれながらに頂いている真実な悟りを隠し伏蔵してしまうから、衆生は自分で秘密にしているのだと言う。二つ目の如来秘密とは、応身化身の説法は相手の機根に随って妙薬を施される。言葉は有益であるからである。

従って、他の人の為に救いの手を伸ばされるみ仏は、自分の内証が余りにも高尚であるので人々に了解出来ないとして、それを秘密となさっている。本当は秘密になさって、他に伝えないというのではない。一生懸命人々に伝えて幸せにしてあげようと思っていて下さるのだけれど、私達の方が付いていけないので、秘密となっているだけの話である――という意である。(空海全集二・二一三―四頁)

62 仏・法・僧を三宝と言う

仏宝はすなわち一切智智を具して衆生に正路《しょうろ》を示す。法宝はすなわち難思の功徳を具して能く持者をして世出世の楽を与えせしむ。仏と法と是くの如くの功徳ありと雖も、もし僧宝なくんば流通《りゅうつう》することを得ず。

（教王経開題、全集一・七一五頁）

仏宝は、すべての真理を明らかに知る智恵を具えて、生ある者に正しい生き方を教示する。法宝は、思いめぐらす事の出来ない程の多くの功徳を具えて、この真理をよく持《たも》つ者に現世と僧の世界に真の安楽を与える。仏と真理にはこのように有り難い功績があるけれども、もし僧宝がなければこの世の中に伝わり弘まらなかった事だろう——という意である。

お釈迦様のみ教えは、文字で書くのは勿体ないと言って、約五百年間は口伝えであった。しかし、サンスクリットという文化語が出来た事だし、文章として文字で残そうという事になって、口伝えのみ教えを照合した所、一字一句の間違いもなかったと言われている。いかに大事に伝えられていたかがよく分かる。法宝も僧宝がなかったら完全には伝えられなかった事だろう。だから、仏・法・僧の三宝として感謝するのである。

この開題には、「強壮は今朝、病死は明夕《みょうせき》なり。徒《いたずら》に秋葉の風を待つの命を恃《たの》んで、空《むな》しく朝露の日を催《もよお》すの形《かたち》を養う。この身の脆《もろ》きこと泡沫《ほうまつ》の如く、吾が命の仮《け》なること夢幻の如し。無常の風、忽ちに扇《あお》げば、四大、瓦の如くに解け、閻魔の使《つかい》、乍《たちま》ちに来たれば、六親誰をか憑《たの》まん。……またそれこの身は、虚空より化生《けしょう》するにあらず。大地より変現するにあらず。必ず四恩の徳に資《よ》ってこの五陰《ごおん》の体《からだ》を保つ」とあって、次にこの三宝の恩が説かれている。

み仏（お釈迦様）が世に出でられたという事も希有《けう》の事である。法宝がこの世に伝えられるという事も希有の事である。この仏と法を尊んで、仏法を伝えて下さった僧宝があったという事も希有の事である。

約二千五百年前のお釈迦様のお悟り「不死が得られた」（生き通しの命が得られた）というお言葉が、経典に残っている事に感銘する。そして生まれ変わりがある事、この世の変化は「因縁の法則」によって動いている事、み仏のみ心は暖《あたた》かい事（慈悲の精神）を宣明された事に驚愕《きょうがく》する。素晴らしい教えを説いて下さったのだ。だから三宝に帰依の心が、

自然に起こるのである。（空海全集三・一九三―四頁）

63　僧は大衆の模範でありたい

頭《こうべ》を剃《そ》って欲《よく》を剃らず。衣《ころも》を染《そ》めて心《こころ》を染めず。

（秘蔵宝鑰、全集一・四三一頁）

これは、お大師様の後世の僧に対する厳しいお諫《いさ》めである。お大師様は僧の味方で、一生懸命に僧徒の指導に当たっておられるのだけれども、それだけに心配にもなったのであろう。

髪の毛は剃って僧の姿をしているけれども、肝心の欲の方は剃らずに強欲をほしいままにしてはいけない。衣はいろいろな色に染めているけれども、肝心の心の方は教法に従った清浄心を染めてはいない――という意である。

五欲といって食欲・性欲・財欲・名誉欲・睡眠欲をほしいままにして、在家の人にも負けない、というのではいけない。少欲知足、質素に暮らす事が僧の心得である。

そして、儒教が五経を誦じ三史を読んで罪を消し災を抜くとは、孔子様はおっしゃっていない。お大師様は、み仏の教法の理を正しく思惟すれば、医者の作って下さった薬のように罪を滅し仏果を証する、と述べられている。何故その違いが出来てきたのか。それを解くのが密教の教理であり、事相である。

お大師様に質問した青年は、「お釈迦様は弁説《べんぜつ》が巧みで説経の功徳を説かれ、孔老子は謙虚《けんきょ》にして自分を出されなかったのだ」と非難した。お大師様は、「その言葉を吐いてはいけない」と諄諄《じゅんじゅん》と理由を述べられている。納得がいくまで追究してみたい。（空海全集二・四七頁）

64　散心生ぜば一法界を念ぜよ

念誦《ねんじゅ》の時、もし散心有らば、出入《ではい》りの息を観じて一法界と為して、我が身及び本尊をこの一法界に摂し、また一切の諸法をこの一法界に摂す。然《しか》して後に念誦せよ。

（秘蔵記、全集二・三四頁）

『秘蔵記』とは、お大師様が中国で師僧の恵果阿闍梨の講義を筆記されたものである。

本尊様の前で六器に供具を具えて観想をし、修法する時に、心が散乱して寂静心が得られない時は、吸う息吐く息を一法界なりと観じて余念をなからしめ、自身と本尊とを一法界に投入し、また諸法（万物）を一法界の中に包む。そうした後に心が落ち着いたら、再び真言を唱えて修法しなさい——という意である。

東寺の長者となられた故日下義禅猊下は、朝四時に起きて毎日聖天さんの浴油法を修行されていたが、時に禅定《ぜんじょう》が得られなくて雑念が起きる事がある。その時には、それが止《や》まって寂静な気持ちになるまで何時間でも拝む、とおっしゃっていた。独身で卵くらいは召し上がる精進であったが、いつもにこにことして円満なお顔をなさっていた。

京阪神の信者の方が、猊下によくお会いに来ておられた。雑談をするだけだと仰せられていたが、その温容に接するだけで、満足して帰られていたようである。至心に拝まれていたら、それだけで霊的に救われるのだろう。

私は法類であったので、兵庫県豊岡市の自坊にまで来て得度をして頂いた。その時の記念写真が残っているが、顔はまことに円満そのものである。師僧は日下義定大阿（独身）であった。拝まれた大阿について、御自分も一生拝まれたが、すごい威神力があったと感じた。雑念が起きたらそれが止まるまで拝み続けるという意気込みに、感銘を受けた。

（空海全集四・七四頁）

65　人の死は悲しい

一《ひとたび》は生じ一は死して人をして苦楽の水に溺《おぼ》れしむ。乍《たちまち》に離れ乍に没して幾許《いくばく》か人間の腸《はらわた》を絶つ。哀《かな》しい哉、悲しい哉。

（法華経開題・殑河《ごうか》女人、全集一・七九二頁）

人が誕生する事くらい嬉しいものはない。反面、人の死の別れほど悲しいものはない。

人が生まれた時には、「おめでとうございます」と言い合って喜び楽しみ、人が亡くなった時には、「御愁傷様です」と言って共に悲しむ――という意である。

僧は後者に携《たずさ》わるので、悲しい事が多い。愛する子や親と別れる時には、腸を断つような悲しみを味わう。これを癒《いや》すのが僧の仕事になる訳である。

お釈迦様は「不死」を悟られ、密教では「本不生《ほんぶしょう》」を説く。三世常住の生き通しの命を説く。これが実は悟りであり、大安心の原理である。（空海全集三・三六二頁）

66 生死輪廻を観つめる

生縁聚《しょうえんあつま》るときはすなわち春苑の華もその咲けるに譬《たと》うるに足らず。死業至るときはすなわち秋林の葉も何ぞその悲《かなしみ》に喩《たと》うることを得ん。

（法華経開題・殑河女人、全集一・七九二頁）


子供が授かる時は、春の美しい花が咲いている美観に喩える事も出来ず、子の一声はどんな美しい音楽を聞くよりも楽しい。反対に、人間に死が迫り息が止まる時は、秋になって木の葉が散ってしまう淋しさも、その喩えとする事が出来ない――という意である。

またお大師様は、「我を生《しょう》ずる父母も生の由来を知らず、生を受くる我が身もまた死の所去《しょこ》を悟らず」（秘蔵宝鑰一、全集一・四二二頁）と述べられている。

どこからどうして生まれたのかも、死んだらどこに行くのかも全く知らないで、生まれたり死んだりしている。それを解明するのが宗教であり仏教である、という意であろう。

今日では、心霊科学がその研究指導に当たっている。六道・十界・生死輪廻・因縁の法則は、仏教の根本原理である。人間死ぬ事があるから宗教を求めるのだろう。生死を観つめる所に菩提（悟り）がある。真剣に考えてみたい。（空海全集三・三六一―二頁）

67　み仏は眷属《けんぞく》と共に来臨して救って下さる

入我我入加持の故に、六大無碍瑜伽《むげゆが》の故に、塵数《じんじゅ》の眷属《けんぞく》と与《とも》に、無来《むらい》にして来《き》たり、海滴の分身と将《とも》にして不摂《ふしょう》にして摂《せっ》したまえ。

（性霊集、全集三・五〇一頁）

金剛界会の三十七尊、大悲胎蔵、四種《ししゅ》曼荼羅の諸尊は、入我我入（仏身が我が身に入り、我が身が仏身の内に入る）の加持（み仏の大慈大悲の威神力が我に加わり、我はその威神力を信じ保持する）の理由により、又「六大無碍瑜伽」の哲理により、多くの眷属《けんぞく》（家来《けらい》）と共に、現界に来るという意識は無いけれども、自然《じねん》に救いのために来臨して下さり、大海原の中の一滴の分身である智泉のために別して救おうという感念は無いけれども、大慈大悲の大きなみ心に住して救って下さいませ——という意である。

お大師様のお姉様の子（甥）であり、後事の大事を托そうと可愛がっていられた智泉大徳が、お大師様に先立って早逝されたので、お大師様の悲嘆の程が偲ばれる御文章である。ひどく落胆された事だろう。

「悲しい哉、悲しい哉、重ねて悲しい哉」と仰せられている。そして、「月鏡《がっきょう》を心蓮《しんれん》に観じ、妄薪《もうしん》を智火に焼《や》く。我《が》則ち金剛、我則ち法界。三等の真言加持の故に、五相成身《ごそうじょうしん》妙観智力《みょうかんちりき》をもって、即身成仏し、即心の曼荼なり」と、真言密教の真髄を述べて説諭されている。

満月の明るい淡い大日如来の光明を、我が心の中に咲く清らかな蓮の美しい華に受けて輝かせ、迷いの雲の如き煩悩の薪《たきぎ》をみ仏の真実な智恵の光明によって焼き払い、我即金剛薩埵（仏の子）、我《われ》は即《すなわ》ちみ仏の住み給う仏国土に住まわせて頂いていると観じ、三等の真言（自身と金剛薩埵と法界の三つは三つにして一つという念誦の呪《しゅ》）を信じ、五相（通達菩提心・修菩提心・成金剛心・証金剛心・仏身円満という真言僧の金剛界の修行の仕方）で成《じょう》身《しん》し、妙観察智の神秘な智恵の力に依って即身に成仏し、即心に両部の諸尊と共に密厳《みつごん》浄土の生活に入るようにと諭《さと》された。

お大師様のような超人の方でも、悲しい事に出会われる。みんなそれらを乗り越えて、理想に向かって精進するのだ。どんな悲しい事に出会っても、それを乗り越える元気を出そう。（空海全集六・五〇六頁、五〇八―九頁）

68　亡慈母の追善

伏して願わくはこの妙業に藉《よ》って先慈を翊《たす》け奉らん。月鏡《がっきょう》盈盈《えいえい》として忽ちに金剛《こんごう》の月殿《がってん》に逍遥《しょうよう》し、日輪赫赫《かくかく》として蓮台の日宮《にっくう》に放眩《ほうこう》せん。

（性霊集七・笠大夫先妣、全集三・四八〇頁）

ひれ伏して仏天にお願いいたします。この密法の供養によって、式部丞仲守氏の亡慈母の霊をどうか成仏得脱の道へ引導して下さいませ。鏡のように澄んだ満月が清らかに大空一杯に炎々と輝くように、永遠の生命に目覚めて月の宮殿に住し給い、太陽が明るく暖かく大空に光照するように、白蓮華台の上に日輪を観想して、日輪の如くに（大日如来の如くに）日の宮殿に安住して、慈悲の光明をもって法界に遍満して照らして下さいませ――という意である。

慈母が亡くなると、胸の中に穴があいたように悲しいものである。父も同様であるが、父母の菩提を祈らずにおれないのが、子の真情であろう。父母が自分の事を一番心配して、愛護して下さったからである。特に母親は、身の回りの世話をあれこれと気をつかってくれるので淋しい。一番に愛してくれていたからだろう。養育してもらった御恩を思うと、一辺の真言でも唱えて回向したくなる。せめてもの恩返しである。

仲守氏もお大師様にその追善を頼まれたのであろう。密教は日月輪観を修行の基礎とするので、それを慈母にも観想するように回向されたのであろう。仏天は生きている人も亡くなった霊にも、唱導して救って下さる方であるから、お亡くなりになったら仏天にお願いなさるのがよい。

いくら嘆いても、もはや肉身に戻る事は転生しか外にはない。霊としてあの世に生きていらっしゃるから、菩提を祈るしか方法はない。この道理をよく知って、出来る事でお供えしたり読経して供養なさるのがよいだろう。（空海全集六・四二八―九頁）

第七章　密教は言葉（真言）を大切にする

69　真言や種子《しゅじ》を唱える功徳

一仏の名号を称して無量の重罪を消し、一字の真言を讃して無辺の功徳を獲《う》。

（秘蔵宝鑰、全集一・四三八頁）

転迷開悟されたみ仏のお真言を唱えて、今迄に犯した沢山の重罪を消す事が出来る。み仏の一字の真言（種子《しゅじ》）を讃嘆して、計る事の出来ない程の功徳を頂ける――という意である。

ちょっと聞けば、お大師様は巧《うま》い事を言って信者を捕《つか》まえようとされている、と取られるかも知れない。しかし、お大師様がいい加減な事をおっしゃる筈がない。ではどういう理由があって、こういう事をおっしゃるのか。

思うにみ仏は、始めなき始めから今日に至るまで無限と言ってよい長期間を生きて、その間に善根功徳を積まれている。そして、人々の苦難を救ってあげようと心を砕《くだ》いて下さっている。一仏の名号を唱える事によって、その功徳を回して下さるのである。お陰というのはこうして頂ける。

その代りに助けて貰った人は、お礼に善根功徳を積んでお返しをする事を忘れてはならない。必ずそうしようと思われるだろう。こうして又、功徳が元のみ仏に返るので又、次の人を救って下さる訳である。これはお陰を受けた人だけにしか分からない事かも知れない。「困った時の神（仏）頼み」で、真剣に祈った人にしか、授からない霊験であるのかも知れない。

本当に困った人にしか、信仰は分かりにくいものかも知れない。しかし、順境に恵まれている時に、その順境を感謝して天の倉に功徳を積む心構えで暮らすのがよい。（空海全集二・六〇頁）

70　言葉や文字は誠実に奇麗に使おう

如来の説法は、必ず文字による。文字の所在は、六塵《ろくじん》その体なり。六塵の本《もと》は、法仏の三密即ち是れなり。

（声字義、全集一・五二一頁）

み仏の教法の説法は、必ず文字言語によっている。文字という精神文化の枠は、六塵（色・声・香・味・触・法の六境）を体としている。この六塵の本《もと》は、法身大日如来の三密（身・口・意）が基礎である――という意である。

更に続いて、「五大に悉く声響《しょうこう》を具す。一切の音声は五大を離れず。五大は即ち是れ声の本躰。音響《おんこう》は則ち用なり」（同・五二五頁）と述べられている。

五大とは、地大・水大・火大・風大・空大という仏教、密教の物質の本質を言う名前である。すべての音声は五大を離れず、五大が声の本体、音響はその活動である、というのが密教の立場である。今日の情報化社会では、テレビでも新聞でも音響文字は大切である。この象徴《しょうちょう》文化のお陰で伝達が出来る。

特に、お釈迦様やお大師様のお言葉や文字が聖語として残されて伝わっているお陰で、それに接する事が出来る。そういう大事な伝達の手段は、「真実に使う事が大事」というので、「真言宗」という宗名がつけられている。

言葉や文字で人を騙《だま》す事も出来る。真理や道理を伝える事も出来る。善用する事が大切である。言葉や文字は、誠実で奇麗に使いたいものである。そこに信用も生まれる。一言で泣いたり笑ったりする人生ですから。（空海全集二・二六五頁）

71　真言念誦と読経の霊的効果

この真言は何物をか詮ずる。能く諸法の実相を呼んで不謬《ふびゅう》不妄《ふもう》なり。故に真言と名づく。

（声字義、全集一・五二六頁）

この真言とは、どういうものを言い表すのでしょうか。この真言というものは、あらゆるものの真実な姿を観て取って誤りや偽《いつわ》りがない。そこで真実な言葉であるというので、「真言」と言うのである——という意である。

例えば、お不動様のお真言は、「ノウマク　サンマンダ　バザラダン　センダマカロシャダ　ソワタヤ　ウン　タラタ　カン　マン」(Namaḥ samanta-vajrāṇāṃ caṇḍa-mahāroṣaṇa sphoṭaya hūṃ traṭ hāṃ māṃ)、あまねく金剛尊に帰命し奉る。恐ろしき大忿怒尊よ。打ちくだきたまえ。「フーム　トラット　ハーム　マーム」の意である。

お不動様は霊界のお巡りさん役である。身の背後から火炎を出だし、縄を持ち利剣を持って、岩座の上に立ったり座ったりしていらっしゃる。この世とあの世の邪悪な者を征服し、降伏させて下さる正義の味方である。

この真言を唱える功徳について、私の恥ずかしい体験を申し上げたい。以下は、善通寺教学振興会発行の『紀要』に掲載したものである。

私は二十歳前後に乾性肋膜炎となって、高野山大学に入学したのは、昭和二十七年数え年二十九歳の春であった。高野山大学三年生の時、真別処円通律寺にお世話になって、通学する事になった。維那様は三井英光先生だった。事相講伝所であるので六畳の間が二十室ほど作られていた。五人程入っておられたが、十五室ほど空《あ》いていた。どこに入ってもよい、との事であったので、一番近い日当たりのよい押入れ付の部屋に入れてもらう事にした。寝ると夢を見た。部屋の隅から小さな真黒な鳥が近寄って来たなと思ったら、身体が金縛《かなしば》りとなった。息が出来ないほど縛られるので、思わず御不動様の御真言を夢中で唱えた。すると金縛りが解けて楽になり目が覚めたが、疲れていたのですぐ眠りについた。翌晩も寝付くと同じ夢を見て、小鳥が飛んで来たかと思うと又金縛りとなった。又御不動様の御真言を夢の中で唱えると、楽になって目が覚めたが、すぐに眠ってしまった。三日目の朝、勤行《ごんぎょう》が終わって食堂《じきどう》で朝御飯を頂いた折「実は二晩同じ夢を見て、夢だけでなく金縛りに合いました」と報告すると、「オー、出たか?」と言われた。「何の事でしょうか?」と問うと「実はあの部屋に入っていた前の人が、何の悩みがあったのか、若いのに自殺をしてしまった。調べてみると、身寄りがなくて、円通律寺の墓地に墓が建ててあるから、三日間参って理趣経を拝んであげなさい」と教えられた。その日からお墓に参って拝み始めたら、夢を見る事も金縛りに合う事も無くなった。思うに坊さんになろうと修行していたのに、早逝した事の残念な想《おも》いが残っていて、後に入って来た私に知らせたのであろう。御経を拝んで冥福を祈ったら、金縛りという障りが無くなったのを見ると、真言念誦、読経の効果は確かにあると信じている。(空海全集二)

72　随縁の生死と本有の宝蔵の現証《げんしょう》

随縁の本智は生死に流転し源《みなもと》に背《そむ》いて時久し。もし内薫外縁《ないくんげえん》の力に遇《あ》えば生死を厭《いと》いて涅槃を欣《ねがい》ノ、始覚の日光を発《おこ》し無明の闇夜を照らし、遍《あまね》く本有の宝蔵を知って悉く自家の功徳を得《う》。これを現証《げんしょう》と名づく。

(金剛頂経開題、全集一・七〇三頁)

因縁生起《しょうき》の中にも本有の智恵はさずかってあるのだけれど、生死に流転している間に本源を見失ってから時が長くたって分からなくなっている。しかし、自心内具の善心と、外から如来の加持と、よい指導者に会う事が出来れば、生死の苦しみを嫌っていといい、涅槃の安楽を求めて、菩提心の悟りを求める大日の光明が輝き始める。真っ暗な何も分からない闇夜を明るく照らして、生まれながらに頂いている本有の宝蔵が自身にある事を覚知して、自身の尊さに気付き、福智の実現に向かって修行し、その功徳に眼を見張るに至る――という意である。

流転と本有、始覚と本覚、迷いと悟り、そして転迷開悟に至る道が説かれている。いつまでも迷ってはいられない。悟りを求めずにはいられない事を示されている。

悪事をなした者が、レインコートを頭からかぶって顔を隠して、見えないようにする姿をテレビでご覧になった方が多いだろう。悪い事をした事を本人がよく知っているからである。恥じているのだ。だから、いつかは悪事をしないようになる外はない。よい教え、よい指導者に会うと、みんな良い方向に向いてくる。悲観をする事はない。（空海全集三・一六四―五頁）

73　自分で守るべき戒律を決めよう

三業の雑穢《ぞうえ》を浄め、身心の熱悩を除き、一切の功徳を成長すること、戒に過ぎたるはなし。

（梵網経開題、全集一・八一三頁）

身体と言葉と心の三業の穢《けが》れを浄め、身と心の熱い悩みを除き、すべての良い功徳を伸ばし育てる事は、この戒律に勝《まさ》るものはない——という意である。

この開題には、「この三摩地の本意は、衆生をして一切の塵垢差別《じんくさべつ》を浄めて、本来清浄《ほんらいしょう》の一如《いちにょ》に還帰《げんき》せしめんがための故に」（同・八一二頁）とか、「一切の無明煩悩、大空三昧に入りぬればすなわち都《すべ》て所有なく、一切の塵垢《じんく》、すなわち財《たから》となる」（同・八一四頁）など、真言密教の大事が明かされている。

この冥想の禅定の本意は、人々のあらゆる汚《けが》れと差別の思いを浄めて、本《もと》から頂いている蓮のように清らかな平等な一つに帰りもどさんがためである。すべての真っ暗闇のような迷いによる悪行も、大虚空のように何のとらわれもない境地に入ったならば、すべての汚《けが》れや垢《あか》は、そのままみ仏の財産に変化する。

本来そのまま清浄である、というのは心の主体の本性である。塵垢とは、心の眷属の動きの名前である。これはお大師様が仏果の境地に入られ、み仏の眼で観られた心境である。凡夫の因位から見られた見解ではない。まだ悟っていない凡夫は、人を殺してはならない。殺人しても驚くな、と言われたお大師様の真意は、「大乗空観に入って因縁生の境界を越えて、殺人しても至心に懺悔をし、亡者の冥福を祈り、前向きに今後はみ仏の仏国土建設の善行のお手伝いをさして頂きましょう。菩提心を発《おこ》して、三昧耶行をいたします」このように方向転換をしなさい、という事だろう。

だから、悪行の汚《けが》れを浄め、迷いを除き、良い功徳を育てるには、戒律を守るに過ぎるものはない、と教えられたのである。（空海全集三・四三七頁、四四五―六頁、四四八頁、四五〇頁）

74　人や教法を理由なく誹謗《ひぼう》するな

寧《むし》ろ日夜に十悪五逆を作るべくとも、一言一語も人法を謗《ぼう》すべからず。殺盗を行ずる者は現に衣食の利を得《う》。人法を謗《ぼう》する者は我に於て何の益《えき》かあらん。

（秘蔵宝鑰四、全集一・四三九頁）

夜も昼も、十悪行をなし五逆罪があっても、人や教法を誹謗《ひぼう》する事はすべきではない。何故ならば、殺人をする人はその人の着ている着物を利用する事が出来、食物を盗む者は食事をする事が出来るが、人を誹謗し教法を誹謗する人は、自分に何の利益があるというのであろうか。誹謗した人の名誉が傷つき、精神的に苦しむのを楽しんで見下すためなのであろうか――という意である。

讒言《ざんげん》という言葉があるが、昔からある事ない事を言い立てて中傷する人がある。その為に無実の罪に泣いた人がどれ位あるか分からない。いつか真実が明らかになって救われる人もあるが、晴れないままに終わる人もある。そのために破邪顕正《はじゃけんしょう》という言葉がある。

邪悪を破って正道《しょうどう》を歩む者を顕揚しなければならない。それはこの世が浮世であるからである。正しい事が行われず邪《よこしま》な者が横行する事は、防がなければならない。（空海全集二・六二三頁）

75　四恩を報じて悟りを得る

三世の如来、十方の菩薩、四恩の徳を報じて悉く菩提を証す。

（教王経開題、全集一・七一五頁）

この前文には、「夫れ此の身は、虚空より化生《けしょう》するに非《あら》ず。大地より変現《へんげん》するに非ず。必ず四恩の徳に資《よ》って是《こ》の五陰《ごおん》の躰《たい》（肉体）を保《たも》つ。いわゆる四恩とは、一つには父母、二つには国王、三つには衆生、四つには三宝なり」という一節がある。この中の国王の恩というのは、今日では国家社会の恩と言い換えた方がよいかもしれない。

三宝の恩とは、仏・法・僧である。この四恩によって、いろいろな人の恩恵によって生きさせて頂いているので、これに報謝し、自分もまた分に応じて、世のため人のために尽くさせて頂こうというのが、人間の正しい生き方である——という意である。自分一人で生きていけるものではない。衆生のお世話によって生きている。御恩があると分かったならば、少しでも恩返しをする事である。四恩の徳に報じて菩提を証す、と言われている。特に父母の恩を忘れぬようにしたい。（空海全集三・一九四頁）

76　我心仏心　我身仏身を悟る事

仏心即ち我が心。我が身、仏身を離れずと知らず。空しく宝珠を懐いて貧里に跉跰《りょうびょう》し、徒《いたず》らに醍醐《だいご》を韞《つつ》んで常に毒薬を服す。

（大日経開題、全集一・六七八頁）

仏様のみ心を自分も頂いている。自分の身体は、み仏のお身体を離れずに仏身である事を知らないでいる。それは丁度、高価な宝珠を胸にいだいて豊かであるのに、自分は貧しいと思い込んで貧弱な村里にさまよい住んでいるようなものであり、心に最上の味わいの牛乳から精製した醍醐《だいご》を持っているのに、それを自覚しないで間違って毒薬を飲んで苦しんでいるようなものである――という意である。

そこで大師である大日如来は、み仏の大智は本《もと》から人々の心に具わっている事を観て とって、人々が自分の中の心仏を見失っている事を悲しみ歎いていらっしゃる。早く自心に仏心が具わっており、自身の身体は仏身と同等である事を悟って、仏子として生きなさい、と待っていて下さる。

そこでお大師様は、「遍照法王、法界宮に安住して、荘厳《しょうごん》の秘蔵を聞き、三密の法輪を転《てん》ず。即身成仏、是《こ》の日雷震《らいしん》し、我則法身、是の時師子吼《ししく》す。無等三等未《いま》だ聞かざるを今聞き、五智本具は昔失えるに忽ち得たり」(同・六七九頁)と述べられている。

遍照大日如来は法界宮に安らかに住して、多数の荘《かざ》りをもって厳《かざ》りつけ秘密の蔵《くら》の戸を開いて、如来への身・口・意の三密の教法を説法して下さった。それは即身成仏の秘儀であり、我則法身の奥儀を開陳して下さった。差がないのではないが、心仏衆生の本質は平等であるのが本当と聞かして頂き、五仏の五智（大円鏡智・平等性智・妙観察智・成所作智・法界体性智）が本《もと》から具わっているのに、忘れていたので教えて頂いて忽ちに体得した――という意である。

観方が顕教と違っている。密教の果地《かじ》、即身成仏・我則法身・五智本具の自身を覚証して頂きたい。これが、ゆったりとして心豊かに暮らせる秘訣である。（空海全集三・一一〇頁）

77　善人になりたいのが人間だ

物に定まれる性《しょう》なし。人なんぞ常に悪ならん。縁に遭《あ》うときはすなわち庸愚《ようぐ》も大道を庶幾《こいねが》い、教に順ずるときはすなわち凡夫も賢聖《けんしょう》に斉《ひと》しからんと思う。

（秘蔵宝鑰、全集一・四二三頁）

すべては変化するものである。じっと動かないものはない。人間も同じで、いつまでも悪人でいるものではない。よい指導者に会ったならば、凡人も正しい道理にあった生き方を望むものであるし、正しい教えに従う時には、凡夫も立派な聖人になりたいと思うものである――という意である。

人間は誰でも、立派な良い人間になろうと思うものである。いつまでも悪行を続けようというものではない。それは心の奥底には満月のような自性清浄心《じしょうしょうじょうしん》を誰でも頂いているからであり、み仏は霊的光明でもって、成仏するように加護して下さっているからである。凶悪犯を取り扱う刑事さんが、「どんな悪人でも、ど根性までの悪人は一人もいない」と喝破《かっぱ》されたのを聞いた事がある。

人間である以上、正常な時には良心が働くのだ。仏様のような純粋《じゅんすい》な善人になりたいと望んでいるのだ。だからよい指導者とよい教えに会える事が大切である。お釈迦様やお大師様の教法は素晴らしい。人類の生んだ大偉人である。そのお言葉が残っている。その教えを学んで、先ず自分が助かる事だ。（空海全集二・一二三頁）

第八章　密教は即身成仏の教え

78　心の中に仏法がある

心を離れて更に法なし。

（梵網経開題、全集一・八一四頁）

自心を離れて真理・道理・仏法はない——という意である。

このお言葉は、私の大好きな一句である。「実の如く自心を知れ」という有名なお言葉も、「それ仏法遙《はる》かに非ず、心中《しんちゅう》にして即ち近し」というお言葉も、心が中心である。

自心をしっかり観つめる事、それが仏法密法の肝心要《かなめ》である。法を悟るのは自心なのだから、心と法とは同一性である。外に求める必要はない。自心は自分が持っているのだから、是非善悪《ぜんなく》はよく分かる。自分の心に問えというのは、お釈迦様の教えである。

人に言われるまでもない。だから悪事をした者が、顔を隠すのだ。善への始まりである。人間は誰でも善く思われたい、善人に、み仏になりたいと思っているのだ。だから悪人でも自白するのだ。それは自心に菩提心が光っているからである。み仏が光明で照らして、仏子として生きるように待っていて下さるからである。

だから、信心をして仏の子として発心をし、善い誓願を立てる事が必要である。自心に早く目覚める事である。自心を離れて悟りはない。（空海全集三・四四九頁）

79　心内に日月輪《にちがちりん》を観ずる

一切衆生は本有《ほんぬ》の薩埵《さった》なれども、貪瞋癡《とんじんち》の煩悩の為に縛《ばく》せらるるが故に、諸仏の大悲、善巧智《ぜんきょうち》を以てこの甚深秘密瑜伽《じんじんひみつゆが》を説いて、修行者をして内心の中に於て日月輪《にちがちりん》を観ぜしむ。

（秘蔵宝鑰、全集一・四六六―七頁）

凡ての人々は本本《もともと》から存在する金剛薩埵のみ仏の子なのだけれども、貪欲と怒りと愚痴の三毒の迷いのために縛られて悩《なや》み苦しんでいるので、み仏は大慈大悲のみ心をもってみ仏と私とが入我我入の融合を説いて、真言行者をして心の中に日輪・月輪を観想させて、悟りに至らしむる――という意である。

日輪観は光が強烈であるので、仏様に喩《たと》えてみ仏の光明によって私達の心月輪が輝くので、一般には柔らかな月輪観が用いられる。その上に𑖀《ア》字を観ずる𑖀字観もある。これらが密教の瞑想法の基本である。

明るいゆったりとした自心の胸の上に、一肘量《いっちゅうりょう》（腕を立てた中指までの長さ一尺八寸位）の日月輪に観想する。慣れるとこの一肘量を増大して、宇宙法界に一杯にする増大観と、出定の時に元の一肘量にする縮小《しゅくしょう》観（斂観《れんかん》）とを修する。この元の一肘量の観は実は法界一杯の観と同一であって、広少一致と観ずる。

この観想によって三世常住、法界本有の曼荼羅体を体得するのである。そして法身大日如来の曼荼羅体に包まれている自分を観じ、また自の法界曼荼羅によってすべてを包み込む観に住する。かくて、自他法界平等即身成仏を観ずるのである。（空海全集二・一二〇頁）

80　先ず自心をよく観よ

もし自心を知るは仏心を知るなり。仏心を知るは衆生の心を知るなり。三心平等なりと知るは大覚と名づく。

（性霊集、全集三・五二八頁）

自分の心を知る事は、仏心を知る事である。仏の大慈悲心を知る事は、人々の心を知る事である。自心・仏心・衆生の心が平等一如である事を知る人は、仏の悟りを得た大覚と名づけることができる――という意である。

宗教は心を対象とする。心は自分にもあるから、まず自分の心を観察する事である。人のために何か役立とうとしているのか。人のためにならない事をしようとしているのか。人を害さないという事が、仏教の基本である。

よい功徳を積もうというのは、何かよい事をしようという事であるから、よい方向と言わなければならない。自心の中に自性清浄心《じしょうしょうじょうしん》がある事を知る者は、仏心を知る事である。人間には善悪染浄《ぜんじょう》の二心があるが、仏様の御目から観れば、悪を見て悪と知る事は善の始めであるから、悪が善を教えてくれる。善悪共に教訓であるから、どちらも大切にする。煩悩が菩提に昇華するのである。

悪は憎むべきものだけれど、しかし存在価値が全くない訳ではない。テレビや新聞で殺人事件を報道するのは、人を殺してはいけない、人間にとって一番大事な命だから、という教訓だろう。真似をすべきではない。こういう事はするな、親族は悲しむのだからという悪の標本である。これも教えの反面があるだろう。

しかし毎日のように事件が起こるのは、人間の迷いの深さの故である。自分が殺されたくないのなら、他人も同じである。己れの身に引き比べて、悪事はすべきではない。この法然の本有本覚門を表《おもて》とされた。仏教に対する観方が、お大師様によって変わったのである。

そこで大師門徒は、お大師様の立場に立って、仏教を観直さなければならない事になった。仏教を包みながら、密教の立場から観る必要がある。（空海全集六・六〇九―一〇頁）

81　曼荼羅世界は心中にある

秘密曼荼羅は衆生の心中に在れども、作意思惟《しい》の時を待って初めてこれを開発《かいほつ》する者なりと。

（理趣経開題、全集四・九六―七頁）

真言密教では、諸尊集会の胎蔵界、金剛界の曼荼羅を開示する。これは経軌では分かりにくい秘奥を絵画をもって図示されたもので、お大師様は恵果阿闍梨から授与されている。お寺では東に胎蔵界、西に金剛界曼荼羅を掲《かか》げてお祈りするのを常としている。

その沢山な仏様の集会は人間の心の中に本来法爾《ほうに》として存在しているのだけれど、この事を自覚し、心中に観想をし、正しくその哲理を考察する事によって始めて、自身が曼荼羅会上の一員である事がはっきり認識出来るのである――という意である。

ただ漠然と見ているだけで、その方面に心を向けない事には実現しない、と示されている。私達の身体は認識しない事には、見れども見えず、聞けども聞こえずだからである。

何かのきっかけで霊的世界に眼が開かれたら、聞・思・修で修行する事である。そこに不思議な世界が現れる。幸せがやって来る。人間が真面目に生きようとする事になるだろう。お釈迦様とお大師様のみ教えは偉大であるから、法に触れる喜びがあるだろう。（空海全集三）

82　六大体大縁起説

この所生の法は、上《かみ》、法身《ほっしん》に達し、下《しも》、六道に及ぶまで、麁細隔《そさいへだ》てあり、大小差ありと雖《いえど》も、然れどもなお六大を出でず。故に仏、六大を説いて法界体性《ほっかいたいしょう》と為したもう。

（即身義、全集一・五一一頁）

密教の根本教主法身大日如来から従心流出の万物は、上は法身から下は六道（地獄・餓鬼・畜生・修羅・人・天）に至るまで、粗雑なものと精密なものと大小の違いはあるけれども、みんな六大（地・水・火・風・空・識）から出来ている。従って、み仏はこの六大をもって法界の体性とされている――という意である。

この六大説はお大師様の創唱された密教の根本哲理、即身成仏の原理と言われているが、「即身成仏の三摩地法」（本書九二―四頁）を参照して頂きたい。なお金山先生は、『金山穆韶著作集』第一巻（「六大体大に就て」三三七―四二五頁・うしお書店）で六大について述べておられるので参照して頂ければ幸甚である。

お大師様の新説「即身成仏」義は、「六大体大縁起説」によって成立したので、密教徒はこれを考究する必要がある。大日経から五大、金剛頂経から識大、併せて六大義を完成された。この六大体大縁起説は、業感縁起・阿羅耶識縁起・真如縁起・法界縁起の諸説の縁起説を否定するものではなく、その基礎にあって此等縁起の諸法を法身如来自証の境より観て、一切の事々に如来常住の相を観んとする基本の哲理である。（空海全集二・二二四頁、二二六頁）

83　有・空・中道の三諦《さんたい》の教え

因縁所生の法は我れ即ち是れ空なりと説く。または是れ仮名なりとす。また是れ中道の義なりと。

（十住心論、全集一・三四五―六頁）

因縁によって生じた万物は変化してゆくもので、いずれ空に帰る。両親の縁によって生じた肉体が、寿命つきれば死んでしまうようなものである。従って、因縁生には永遠性はない。始めがあれば終わりがある。しかし、仮の存在としても肉体がある事は事実であるから、仮の名前として認めなければならない。存在するけれども、実体としては空であって存在しない。この両面を間違いなく観るのが中道の考え方である――という意である。

これはお釈迦様の教えで、天台宗では三諦《さんたい》の教えとして尊重されている。

だから肉体に固執してはいけない。いくら死にたくないと言っても、それは許されない。昔から不老長寿は求められているけれども、肉体はそうはいかない。死ぬ覚悟が大事である。そこに宗教の必要性がある。宗教によって、死の恐怖を越えなければならない。

仏教では死んでも霊（心）として生き続けていると説く。阿頼耶識《あらやしき》縁起説である。仏教僧の考え出した深層心理学の意識の輪廻転生説である。輪廻転生説はもとはお釈迦様の説かれた教えで、それを詳細に説明した意識の解説書である。すごい心理学を研究し、開発されたものと感心する。ここでは、空と有の因縁生滅の両方を観るのを中道と言われた。死ぬ事を考えない凡人の考えをたしなめられた教えである。

阿頼耶識縁起説では、成仏する人と成仏出来ない人とがあるという五姓《ごしょう》各別論となった。すべての人が成仏出来るというのがお釈迦様の真意であるというので、真如縁起説が生まれた。すべては一真如から生じた万物だから、すべての人は成仏出来るという優れた教えである。しかし、この真如が妄法縁起によって（迷いの思によって）生起するので迷いがある。即心成仏は出来ても、即身成仏までは説けなかった。

そこでお大師様は、純美の縁起を大日経と金剛頂経により「六大体大縁起説」として創唱された。即身成仏、誰でもこの身このまま成仏出来るという真言密教の哲理を完成された。そのすごい眼力と智力に敬服する。お釈迦様の教えは、「即身成仏」につきると結論された。中道の教えがここまで追究された。仏教の哲理を最後まで追究すると、「即身成仏」に帰するのである。（空海全集一・五三二頁）

84　動植物から法音を開け

禽獣《きんじゅう》卉木《きもく》は、皆これ法音なり。

この一句の前後には、「三昧の法仏は、本より我が心に具《そな》わり、二諦《にたい》の真俗は、倶《とも》に是れ常住、禽獣卉木は、皆是れ法音、安楽観史《あんらくとし》は、本来胸中にあるを頓悟《とんご》せしめん」とある。（性霊集、全集三・四二九頁）

精神統一寂静の境地の悟りを得た法身仏大日如来は、本《もと》より来《こ》のかた我が心に具《そなわ》っている。真諦（出家した僧の悟りの世界に到達した真理）と、俗諦（世俗の在家の世界で研究到達した真理）とは、共に永遠の存在である。

鳥獣草木の発する声や音は、すべて大日如来のみ教えのお言葉であり、阿弥陀如来のいらっしゃる極楽世界は、本来自分の胸の中にすでにあるものだ、という事をすみやかに悟りなさい——という意である。

禅僧の公案に、箒《ほうき》で掃いた小石が竹に当たってパチッといった音で悟りを開いた、という有名なお話がある。鳥獣草木の発する声や音も皆、み仏の説法である。そういった心境で周りを観られたら、法（真理）は至る所から聞ける事だろう。法は遠い所にあるのではない。近い所にある。心が開いているかどうか、にかかっている。これを「発心《ほっしん》」と言っている。

夫は妻の言う事を、妻は夫の言う事を、子は親の言う事を、親は子の言う事を、よく聞いてみることだ。そこに「法が語られている」と感じた時には、拝聴する事だ。み仏のお言葉だと、取り入れる事だ。法は身近にあるのですから。（空海全集六・二四六頁）

85　断悪修善《だんなくしゅぜん》の教え

悪を断ずるが故に苦を離れ、善を修するが故に楽を得《う》。下《しも》人天より上《かみ》仏果に至るまで、皆これ断悪修善《だんなくしゅぜん》の感得する所なり。

（秘蔵宝鑰四、全集一・四四三頁）

「すべて悪しきことをなさず。善きことを実践し、自己の心を浄《きよ》むること、これ諸々《もろもろ》の仏陀の教えなり」（『法句経』一八三番・渡辺照宏訳）とはお釈迦様の金言である。

悪事を止める事によって苦から脱《のが》れる事が出来るのであり、善い事をしようと努めるところに楽が得られるのである。下は人間より上はみ仏に至るまで、みな断悪修善の報感である――という意である。

善い教えを説いて下さったと思う。因縁の法則を説いて下さって、有り難いと思う。これが仏教の根幹である。これが親が子に躾《しつ》ける基本である。教育もこれにそって行われる。道徳もそうであり、法律もそうである。しかし、新聞やテレビに報道される事柄には悪事が多い。煩悩の致《いた》す所である。

そこで先ず、煩悩が詳《くわ》しく調査される。何故起こるのか。それに対処する方法が、いろいろと研究される。これが教法である。煩悩があって菩提が要求される。そして、煩悩即菩提の境地にまで発展した。さらに、「仁王所説の如く。菩薩未《いま》だ成仏せざる時は菩提煩悩となり、已《すで》に成仏する時は煩悩菩提となると」（全集一・八一四頁）とまで開明された。

成仏するかしないかが問題となった。そしてお大師様は、「即身成仏」説を主張された。従って、密教徒は即身成仏説にまで至った経緯と、即身成仏の実現に向かって修行しなければならない。教相事相が説かれる所以《ゆえん》である。

私は次生も密教僧に生まれる事を願っている。お大師様のみ教えを研究修行したいためである。（空海全集二・七一頁）

86　凡夫の三業をみ仏の三密にする

開口発声《かいくほっしょう》の真言に罪を滅し、挙手動足《こしゅどうそく》の印契《いんげい》に福を増す。心の起こる所に妙観《みょうかん》自《おのずか》ら生じ、意《こころ》の趣《おもむ》く所等持《とうじ》即《すなわ》ち成《じょう》ず。貧女の穢庭《えてい》に忽ち如意幢《どう》を建て、無明の暗室に日月の燈《ともしび》を懸《かか》ぐ。

（大日経開題、全集一・六五九頁）

口で唱える真言念誦によって代々犯した人を苦しめた罪過を消滅させ、手や足の身体を使った活動によって人々の幸せを増進する。心に思う事は、人々の幸せを念ずる良い想いが自然に生まれて来る。心の働く所、精神統一の静かな禅定が得られる。それは丁度、貧しい家の庭に何物も心のままに叶《かな》う法幢を建て、暗黒の部屋にお日様お月様の明りが燈されるようなものである――という意である。

この一句に触れるたびに、お大師様は名文家であったと思う。密教の思想が頭に一杯満ちていて、次々と口をついて出て来たのだろう。口業・身業・意業いずれにしても、み仏の活動が出来る事を示された一節である。特に、真言念誦《ねんじゅ》によって罪が消えるという事は有り難い。

身体の動きはみ仏の印《いん》であり、心の働きはみ仏の妙観と成り得るのである。三業が三密と成る。迷いの働きとするか、悟りの働きとするか、よく考えてみたい。（空海全集三・六六―七頁）

87　拝まずにはおれない貴いものがある

一切衆生の身中にみな仏性あり。如来蔵を具せり。一切衆生は無上菩提の法器に非ざること無し。

（十住心論、全集一・三六七頁）

すべての人々の身体の中には、皆み仏となれる良い性質がある。如来となれる性能を十分に持っている。すべての人々には、この上もない立派な悟りを得る事の出来る法としての器でない者は一人もいない。みな悟りを得て、み仏となれる素質を持っている。ただそれが実際に現れるかどうかにかかっている――という意である。

偉い事をおっしゃったものだ。誰でも求めさえすればみ仏になれるというのである。しかしこの哲理を主張するまでには、僧は大変に苦労された事だろう。先ず仏性がある、という事も大変である。従って、如来となれる良い性質を持っているという事も大変である。それを次々と断言された。

無上の悟りを得る事の出来る法器でないものはない、とおっしゃっている。みな身中に仏性がある、と教えられている。自分の身中の仏様を拝む事、これが密教の信心の極意である。（空海全集一・五八七―八頁）

88　自己を中心とした曼荼羅体に生きる事

諸尊その数無量なり。この無数の仏は一衆生の仏なり。能《よ》く自仏の是《か》くの如くなることを察し、兼《か》ねて他の衆生の是くの如くなることを明かす。

（平城天皇灌頂文、全集二・一六二頁）

諸仏・諸菩薩らの数は、はかり知れないほど莫大である。この無数の仏は、言い換えれば一人の人の仏である。自らの仏はこのようであるとよく観察し、同時に他の人もまた同様であることを明らかにする——という意である。

仏教では仏様は過去仏も説くが、お釈迦様を始めとして仏と成った方は無量無数である。この数えきれない程の多数の仏様は私達一人ひとりの同僚《どうりょう》の仏様で、曼荼羅体として総合統一されている。他の一人ひとりはみな自己が中心となった曼荼羅体をしていて、相互に証入融解《しょうにゅうゆうげ》している。

本当はみな仏様なのである。御主人も奥様も御子様も、それぞれ自己を中心とした曼荼羅体の中心人物である。そして互いに助け合っている。無くてはならない存在である。他の人々もこのような貴重な存在である事を知って、お互いに助け合って生きていく事を指針とすべきである。（空海全集四・三四〇頁）

89　バザラの智とハンドマの理は不二

嚩日囉《バザラ》は智なり。鉢納麼《ハンドマ》は理なり。智はよく物を照らすに功あり、理はすなわち摂《しょう》持《じ》して乱《みだ》るること無し。摂持の故に大身法界を孕《はら》んで外《ほか》なく、光照の故に広心虚空を呑んで中《うち》なし。理智、他に非《あら》ず、即ち我が身心《しんじん》なり。

（性霊集八・笠左衛佐亡室、全集三・四九一頁）

嚩日囉は金剛《バザラ》と訳され、智を意味する。鉢納麼は蓮華《パドマ》の事で、理を意味する。み仏の智恵は万物を明るく照らして正邪善悪を判別して、事をあやまらない功能がある。理は物事を暖かく受け入れて、混乱する事なく包んで保つが故に、その大きな身体は法界を自分の身体の中に入れて明るく照らすから、その広大なみ心は大虚空を呑みこんで外に出す事はない。みな内にある――という意である。

金剛界は智、胎蔵界は理であるから、智と理は共に法界を包んで統一摂持されている曼荼羅体である事を表示している。この両部の諸尊が加護引導して下さるから、亡霊の菩提

を祈られるがよいと、安心《あんじん》を教えられている。（空海全集六・四八四頁）

90　卒都婆《ソトバ》はお釈迦様を祀る塔

卒都婆《ソトバ》は鍐《バン》の一字の所成《しょじょう》なり。また阿卑囉吽劔《アビラウンケン》の五字の所成なり。一一を取るに任《まか》せて自性清浄心《じしょうしょうじょうしん》とも、真如とも、仏性とも、如来蔵とも、法性とも観ずべし。

（秘蔵記、全集二・二二一頁）

卒都婆は鍐の一字から成る。また、阿卑囉吽劔の五字から成っている。どの一字を取っても、それ自体の清らかな心とも、真実の姿とも、一切衆生が本来持っている仏としての本性とも、仏となりうる可能性とも、一切存在の真実の本性とも想い起こせよ——という意である。

卒都婆とは塔の事で、お釈迦様の遺骨をお祀りした建物の事である。お釈迦様はクシナガラの森でご逝去になったので、早速釈迦族を始め八部族がその遺骨を貰い受けにやって来た。その時、ドーナという婆羅門が「私が心を平《たいら》にして八分いたしますから」と申し出でて八分され、お骨を入れた入れ物はドーナに与えられた。

そして、八塔と灰塔とが建てられたと経典に載っており、後世それが発掘されて、経典の記録が正しいと証明された。その後、遺骨は更に分配されて、多数の塔が建てられた。

七世紀頃、密教の両部大経と共に金剛界胎蔵界の曼荼羅と教義が完成した。金剛界の大日如来は《バン》で表され、胎蔵界の大日如来は《アビラウンケン》という真言種子で表された。ソトバはトーバとなり、今日では真言宗の法事の折に、木の板の裏に「バン」、表に「キャカラバア」、その下に戒名を書いて亡者の菩提成仏を祈る事になっている。

トーバはお釈迦様の遺骨を祀る略式の塔である。仏教はお釈迦様から出発しているからである。後に仏身論の考究から法身論が生まれ、法身の梵字が書かれるようになった。お釈迦様のように安らかに成仏して下さいという祈りの意味である。

その梵字の種子の中のどの一つの字を選んでも、その意味は本《もと》から清らかな本心とも、真実相の現れとも、み仏の性能が生まれながらに具《そな》わっているとも、如来となれる福智をすでに身中に頂いているとも、法として本有本覚の即身成仏出来る福徳を実現出来るだけの能力があるとも、観想するのがよい。この世は、み仏の法界宮であるからである。（空海全集四・四七頁）

91　仏菩薩の大慈大悲

諸仏の事業は大慈を以て先とし、菩薩の行願《ぎょうがん》は大悲を以て本とす。慈よく楽を与え悲よく苦を抜く。抜苦与楽《ばっくよらく》の基《もと》人に正路《しょうろ》を示す是れなり。

（性霊集八・勧進仏塔知識書、全集三・五一七頁）

み仏のお仕事は大慈心を持つ事を先ず第一とし、菩薩のお活動は大悲心を持つ事を基本として、衆生救済に接して下さる。大慈は人々に安楽を与え、大悲は災厄《さいやく》を払い払いて下さる。いずれも人々を安楽にしてあげようという御誓願があるからである。その苦を抜き楽を与える基礎となるものは、人生を正しく生き方を人々に教示する事にある――

という意である。

みんなで安楽に暮らせるように、人々に正路を示す教法が大切である。

お大師様は一青年の質問、「未《いま》だ委《くわし》くせず。人法《にんぼう》に幾《いく》ばくの種《しゅ》か有る。為当《はた》、深浅有りや」に対して、「大いに之を論ずるに二種有り。一つには顕教《けんぎょう》の法、二つには密教の法なり。顕教の中に又二つあり。言《いわ》く、一乗三乗別なるが故に。一乗とは如来の他受用身、十地《ぢ》より初地に至るまで現れ玉う所の報身所説の一乗の法、是れ也。三乗とは応化の釈迦、二乗及《およ》び地前《ちぜん》の菩薩等の為に説き玉う所の経、是れ也」（秘蔵宝鑰巻中、全集一・四四〇頁）とある。

仏教には顕教（密教以外の仏教）と、真言密教との二つに大別される。顕教には一乗と三乗（声聞・縁覚・菩薩）とに分けられる。密教は大日如来法身の説、一乗は報身の説、三乗は応身お釈迦様の説と、法・報・応・化の四身の仏身説が説かれる。

法身は宇宙法界を体とし、因縁を越えて三世常住の密教の根本中心のみ仏である。報身は六度万行の善行功徳の因縁酬答《しゅうとう》によりみ仏となられた方で、阿弥陀仏などを言う。阿弥陀仏は、無量寿仏と言われているように命は永遠と言われるけれど、縁つきなば入滅される。始めあれば終わりがある因縁仏であるからである。

応身のお釈迦様は、人類の機根に応じて応病与楽の人身からみ仏となられた方で、人寿がある。化身というのは、憑依霊《ひょういれい》のような変化した暫時《ざんじ》の身を言うと考えている。法身の生き通しの従心流出の変化身という基礎があって、四身も常住の身と言う事が出来る。人間も同じである。

仏教の教法は非常に体系立てられ、整備《せいび》されていて、哲理は一貫している。要するにみ仏様は皆、大慈大悲のみ心を持っていて下さって、私達の苦悩を救って下さる有り難いお方である。（空海全集六・五四〇―一頁）

92　み仏と教えを信ぜよ

病人もし医人を敬い、方薬を信じ、心を至して服餌《ふくじ》すれば疾《やまい》即ち除愈《じょゆ》す。病人もし医人を罵《ののし》り方薬を信ぜず妙薬を服せずんば、病疾《びょうしつ》なにによってか除くことを得ん。如来の衆生の心病を治したもうことも亦また是くの如し。

（秘蔵宝鑰、全集一・四三九頁）

病気になった人が、お医者さんを敬ってその診断を信じ、その処方の薬を喜んで飲むならば、病気は次第に快方に向かうだろう。もしも病気になった人がお医者さんの悪口を言い、その診断も薬も信頼せず、折角調剤して下さった薬を飲まなければ、病気はどうして治る事が出来ようか。この身病を治して下さるお医者さんと同様に、み仏が人々の心の病《やまい》を治す事もまたよく似ている――という意である。

人々の悩みを救って下さるみ仏を信じ、その教えにのっとって身の行いを正すならば、悩みは消えて行く事だろう。悟りを開いたみ仏が、嘘を言われる事はない。本当に困ったら「困った時の神（仏）頼み」で信心するより外はない。

私も青年の頃、病気になって仏様を拝む信心をさせて頂いた。そして難病が不思議によくなった。この経験が、僧としての生き方の教訓となった。拝む事によって救われるという体験である。病気になった事は不幸な事であったかもしれないけれど、信心によって回復出来た事は、その後いろんな苦難を乗り越える心の支えとなった。禍福は正に一枚の紙の裏表である。（空海全集二・六二頁）

93　如来は無量の功徳をもって加護して下さる

衆生は仏道を去ること甚だ近くして自覚すること能《あた》わざる。故にこの因縁を以《ノ》て如来世に出興《しゅっこう》して、還って是くの如くの不思議法界を用いて種々の道を分作し、種々の乗を開示し、種々の薬欲《ぎょうよく》心機に随って、種々の文句方言を以《ノ》て自在に加持して真言道を説きたもう。

（十住心論、全集一・四一〇頁）

私達人間は、仏となる道が甚だ近くにあるのに自覚する事が出来ないでいる。そこでみ仏はこの世にお出でて下さって、正道を生きて早く成仏するようにいろいろな方法を考えて、いろいろな教法を開示され、人々の願い求める希望や機根に従って、いろいろな言葉文字を以て真実な実相をお説き下さった。そこで教法はいろいろに分かれているが、目標は一つ成仏する事にある――という意である。

続いて、「如来の阿僧祇劫《あそうぎこう》に集むる所の功徳を以って。而《しか》も遍一切処の普門《ふもん》加持を作《な》し玉う」(同・四一一頁)とある。

如来は無始無終三世常恒のみ仏であるから、その始めから無限とも言うべき長年月を生きて、善根を積まれた功徳をもって、しかも一切の所に遍満して行き渡らない所がない大身でもって、すべての教法と人々を加持して、威神力を加え与えて加護下さっている。だから不思議なお陰が頂けるのである。(空海全集一)

94 密教の教えに遇《あ》う事が難しい

冒地《ぼうじ》の得難きには非ず。この法に遇《あ》うことの易《やす》からざるなり。

（性霊集、全集三・四二三頁）

これはお大師様が選ばれて、恵果阿闍梨の碑の撰文併びにその書をなされた「大唐神都青龍寺故《もと》三朝国師灌頂の阿闍梨恵果和尚の碑」の中の和尚の言葉として述べられている一節である。

（bo dhi・菩提・悟り）が得難いのではない。この真言密教の教えに遭遇することが容易ではなかったのだ、と恵果阿闍梨はおっしゃった――という意である。

それほど密教の教えは尊いのである。だからまた阿闍梨は、

「人の貴き者は、国王に過ぎず。法の最なる者は、密蔵に如《し》かず。牛羊に策《むち》うって道に趣《おもむ》くときは、久しくして始めて到り、神通に駕《が》して以て跋渉《ばっしょう》するときは、労せずして至る。諸乗と密蔵と、豈《あに》同日にして論ずることを得ん乎《や》」（同）

とか、阿闍梨の人となりを述べて、

「貧《ひん》を済うには財を以てし、遇《ぐ》を導くには法を以てす。財を積まざるを以て心と為し、法を惜《お》しまざるを以て性《しょう》と為す。故に若《も》しくは尊、若しくは卑《ひ》、虚しく往きて実《み》ちて帰

り、近き自《よ》り遠き自り、光を尋ねて集会することを得たり」（同・四二一―二頁）

と言われている。これらの意は、

「人間のうちで貴いものは、国王より上の者はない。仏法のうちで最高のものは、密教の教えに及ぶものはない。牛や羊に策《むち》うって道を進む人は、長くかかってやっと着くのだし、神通乗に乗って行く者は苦労せずに目的地に到達する。他の諸宗と密教の教えとを同日にして論ずる事は出来ない。それほどの違いがある」

とか、阿闍梨の秀でた性格を述べて、

「貧しい者を救うのには財を以てし、遇《ぐ》を導くのには仏法を以てされた。財貨を蓄積しない事を心の戒《いまし》めとし、密法を惜《お》しまない事を心の方針とされた。だから尊卑にかかわらず、遠近を問《と》わず、徳光を求めて人々が集まってきた。そして空虚の身で行って、多くのものを得て実ちて帰る事が出来た」

とおっしゃっている。

三千人の弟子が集まっていたと言われる中で、日本からの一留学生のお大師様に、密教の粋を伝授された恵果阿闍梨の慧眼に敬意を表すると共に、お大師様の人物の偉大さに驚嘆せざるを得ない。と共に、密教の秘法にこうして会えた事に、感謝せずにはおれない。

（空海全集六・二一三頁、二一五―六頁）

95　六大の身心は法界に遍満している

伏《ふ》して願くは、斯の自業《びゃくごう》を挙げて彼の四恩に泬《い》らしめん。六大の所遍、皆是れ我が身《しん》なり。十界の所有竝《なら》びに是れ我が心なり。虚空を尽し、法界を洞《とお》して同じく一味の醍醐に飽《あ》いて、斉《ひと》しく三点の覚苑《かくおん》に登らん。

（性霊集八、全集三）

これは、「招提寺の達嚫《たっしん》の文」の末尾に載っている一節である。

伏してお願い申し上げます。この清らかな善行のすべてを挙げて、四恩（父母・国王・衆生・三宝の四つの御恩）に報《むく》いるようにめぐらして下さいませ。六大（身心）は世界に遍《あまね》く行き渡っておりますし、十界（地獄からみ仏までを十に分ける）は、私の心の働く所ですから。ですから大虚空も、法界（み仏の世界）も朗《ほが》らかにして、最上の味わいに満足して共々に三点（法身・般若・解脱）の悟りの苑に至り着きましょう。私達はみ仏と同じく身心共に法界に遍満しているのですから——という意である。

私達は、大空のように広く大きい心を持ちたいものである。（空海全集六）

96　人は何のためにこの世に生まれたのか

生まれ生まれ生まれ生まれて生《しょう》の始めに暗く、死に死に死に死んで死の終わりに冥《くら》し。

（秘蔵宝鑰上序、全集一・四七—八頁）

お釈迦様は約二千五百年も前に、人間は生き通しの命を持っている事、生まれ変わる事を示された。お大師様もそれを踏まえて、このように言われた。

人間は生まれては死に、生まれては死にしているけれど、何処《どこ》から生まれたのかも知らないし、死んだら何処に行くのかも知らないでいる。それは自分の命の真実な姿を知らないからである――という意である。

それはみ仏の三世常住と同じく、人間も生き通しの生命を頂いている。その変化を知る事は出来ても、実相の常住が分からないでいる。だから、何のために肉体という具体的な身体を頂いてこの世に出て来たのか、その真相を知らないでいる。その肉体の持っている眼《げん》・耳《に》・鼻《び》・舌《ぜつ》・身《しん》・意《に》の六識に付いている認識能力の本能に任せて、執着《しゅうじゃく》の欲望のままに迷いの浮世に沈んでいる。それをみ仏は哀れんで、人間の正しい生き方を教えて下さっている。

そもそも法界に遍満していらっしゃる法身大日如来が大覚を成就《じょうじゅ》完成された時、私達はその霊的光明に照らされて、その一部分を感得して仏子となった。だからみ仏の子らしく良い人間になろうとして、それぞれ頑張っている（即身成仏）。そして、この社会がみ仏の国となって安心して楽しく暮らせるように努力している（密厳《みつごん》国土）。

時に迷う事があっても、懺悔《さんげ》をして正真に戻るのである。戻らざるを得ないのだ。人はそれぞれ一任務を持って、両親の縁を頂いてこの世に出て来たのだ。早くこの任務に気付いて、折角の命を力一杯に生きて、そしてこの世に感謝して去りたいものである。

私は鹿児島県の故山川清之助先生から、「あなたは僧と檀信徒の方々に、人は死んでも霊（心）として生きている事を知らせるという義務がある」と言われた。考えてみると、一生その仕事をさせて頂いた。死ぬまでその仕事に専念致したい。（空海全集二・四頁）

97　三宝と三業と三心は一にして無量

仏法僧これ三なり。身語意また三なり。心・仏及び衆生三なり。是の如くの三法は平等平等にして一なり。一にして無量なり。無量にして一なり。しかも終に雑乱《ぞうらん》せず。

（即身義、全集一・五一七頁）


仏（悟られたみ仏）と、法（その説かれた教え）と、僧（それを研究実修し法を伝えようとする僧）を三宝と言う。肉体と言葉文字と心の働き、これを三業（三密）と言う。自心と仏心と人々の心との三心は、本当は平等平等であって一真如の現れである。しかも一真如から現れた万物は無量無数である。無量無数であって本質は一つである。しかも無数ではあっても、雑然とあるのではない。整然として統一されている——という意である。

これが悟られたみ仏の心境である。現象は三つに大約される事が多い。そう大約される事によって、うまく整理分類する事が出来る。これが哲理というものである。この統合大系化されたものを教理と言う。

僧はその教理を学ばなければならない。法を知らなければならないからである。お釈迦様やお大師様や、各お祖師様は懸命《けんめい》に勉学と修行の結果、自分の悟った教理を語って下さっている。それは十分に研究に値する。一人の偉人の一生の結集であるからである。

（空海全集二・二四八頁）

98　生まれたら必ず死ぬ

始めあり終りあるは、是れ世の常の理《ことわり》なり。生ある者は必ず滅するは人の定まれる則《のり》なり。

（大日経開題、全集一・六六五頁）

生まれたら必ず死ぬと言うのが、人生の法則である——という意である。

恵果阿闍梨は、「縁起の法はみな生滅する者なり」（秘蔵記、全集二・六頁）と仰せられている。私は真言宗のお寺に生まれたので、人の葬式、その供養の法事を主たる仕事として一生を過ごしてきた。

ある時、「枕経」に参って号泣《ごうきゅう》した事が一度ある。それ程悲しい葬式であった。私だけではない。ご近所の人たちも「ワァーッ！」と声を上げて泣いておられた。お経など読めたものではない。しかし、気を取り直して霊の冥福、成仏を祈らなければならない、とお経を一生懸命に拝んだ。

又あるお家では、主人が起きてこないので起こしに行ったら、亡くなっていた。昨夜まで元気であったのに、家族の方は大びっくりである。又あるお家では、まだ若い身空であるのに、自分で自分の命を断たれた方もある。何か大きな悩みがあったのだろう。私は僧として、残された方が希望を持って前向きに生きられるように、と思って相談に応じている。過去は捨てられているからである。

お釈迦様は、人は一人ひとりが生き通しの命を頂いている事、生まれ変わりがある事、この世は因縁の法則によって動いている事などを説かれた。これを信ずる人が仏教徒である。

死んだ方の冥福、成仏を祈るという事は、人間は死んでも霊として生きているのだから、大事な事であると思っている。（空海全集三・八二頁）

99　迷うのか　悟るのか

遂《つい》んじて十悪心に快《こころよ》うして日夜に作り、六度耳に逆《さかろ》うて心に入れず。人を謗じ法を謗じて焼種《しょうしゅ》の辜《つみ》を顧みず。酒に耽《ふけ》り色に耽って誰か後身の報いを覚らん。

（秘蔵宝鑰、全集一・四一八頁）

このようにして十悪（殺生《せっしょう》・偸盗《ちゅうとう》・邪婬《じゃいん》・妄語《もうご》・綺語《きご》・悪口《あっく》・両舌《りょうぜつ》・慳貪《けんどん》・瞋恚《しんに》・邪見《じゃけん》）を行う事が快くなり、日夜に作り、六度（布施《ふせ》・持戒《じかい》・忍辱《にんにく》・精進《しょうじん》・禅定《ぜんじょう》・智恵《ちえ》）のみ仏の教えを聞いても耳に痛い事だから、心に入れようとはしない。人をそしり、法をそしって、それが悟りを求める発心《ほっしん》の種子を焼きつくす事を考えない。酒を飲む事と色欲に夢中になって、後でどんな報復を受けなければならないのかを考えようともしない――という意である。

十悪とは、十善戒の反対の事である。

(1)　殺生　無益の殺生はしない事。特に人間を殺さない事。

(2)　偸盗　他人の物品を盗《ぬす》み取らない事。
(3)　邪婬　他人の妻（女）と邪恋をしない事。
(4)　妄語　嘘《うそ》、偽《いつわ》りを言わない事。
(5)　綺語　言葉を飾って人を迷わし、不実の宣伝をしない事。
(6)　悪口　人を罵《ののし》ったり、人を害するような事を言わない事。
(7)　両舌　二枚舌を使って人の和を離間させない事。
(8)　慳貪　強欲をしてむさぼらない事。
(9)　瞋恚　怒りは自他を害するから、怒らないように心を制する事。
(10)　邪見　邪《よこしま》な見解に陥《おちい》らないよう正意を持する事。

以上が十悪である。

六度とは六波羅密の訳語で、大乗仏教において菩薩が菩提に至るための六つの徳目の事を言う。

(1)　布施　貧しい人に金品を施す事。財施、法施、無畏施（恐怖を取り除く）の三種がある。

(2)　持戒　こういう善い事を行おう、こういう悪い事はしないようにしようという戒《いまし》めを持つ事。

(3)　忍辱　自分の思うようにならなくても、耐えて辛抱する事。

(4)　精進　正しい目標に向かって力一杯努力する事。

(5)　禅定　心を落ち着かせて、精神の集中を計る事。

(6)　智恵　物事の正邪善悪を正しく判断して、正しい行動をする事。

六度という人間の守るべき良い徳目を聞いても、心に入れて守ろうとはしない。他人を非難し、道理にまで非難攻撃を加える。立派に成仏出来るだけの福徳智恵を頂いているのに、その種子を焼いて無くしてしまうようなものである。酒を好み色に耽《ふけ》って、後日その報いが来る事を知ろうともしない。哀れと言う外はない。（空海全集三・六頁）

100　五相成身観《ごそうじょうしんがん》について

五相《ごそう》とは、一に通達本心《つうだつほんじん》。二に修菩提心《しゅうぼだいしん》。三に成金剛心《じょうこんごうしん》。四に証金剛身《しょうこんごうしん》。五に仏身円満なり。

（金剛頂経開題、全集一・七〇八頁）

この一節は、出家した僧が四度加行《けぎょう》で修行する金剛界次第《しだい》の中の五相成身観《ごそうじょうしんがん》の名前であって、即身成仏の秘観である。僧の修行する事相門《じそうもん》の事であるので、その一端を述べる事でお許し頂きたい。

行者が無識身三昧地（asphānaka-samādhi）に入って寂滅平等究竟真実の智に住していると、密教の諸仏が指を鳴らして驚愕《きょうがく》して（驚いて）「そなたの所証の処は一道清浄の位にして最極の所ではない」と自心に月輪が軽霧の中に在るが如しと観じて発菩提心の真言を誦じて、軽霧を払って月輪を法界に周偏《しゅうへん》せしめる（遍《あまね》くゆきわたらせる）広金剛を修し、次にこの月輪を斂《つづ》めて元の一肘量《いっちゅうりょう》の月輪にして心中に納める。かくて吾が身は仏身と為りぬと観想するのである。即身成仏の修行である。

初めの二相は月輪観であって種子の位、次の二相はみ仏の三摩耶身（蓮華や剣などのみ仏の持ち物によるみ心の表現物）を観想する位、第五の仏身円満は相好具足の仏身を観成するを言う。

なおこの五相に、東方第八識発心と中央第九識発心の両観がある。従因至菓と従果向因、上転下転、随縁即法爾、法爾即随縁の解釈があるが、上転下転同時不離と解するのを至極とする。（空海全集三・一七二—四頁）

参考文献

『定本弘法大師全集』全十巻　密教文化研究所編　高野山大学密教文化研究所
『弘法大師空海全集』全八巻　弘法大師空海全集編輯委員会編　筑摩書房
『空海名言辞典』　近藤堯寛編　高野山出版社
『大日の光』　中井龍瑞　古義真言宗宗務所
『十巻章講説』上下巻　小田慈舟　高野山出版社
『空海上人伝』　山本智教　朱鷺書房
『現代語の十巻章と解説』　栂尾祥雲　高野山出版社
『漢和対照十巻章』　中川善教　高野山出版社
『空海』　上山春平　朝日新聞社
『平成新訂性霊集講義』　坂田光全　高野山出版社
『金山穆韶著作集』全十巻　うしお書店
『真言密教の教学』　金山穆韶　臨川書店

おわりにかえて——御遺告は偽作というショック

上山春平先生はその著『空海』（朝日新聞社・平成四年刊）に「（空海の）遺告《ゆいごう》はすべて偽《ぎ》作《さく》である」という論文を発表された。私はこれを読んで本当に吃驚《びっくり》した。今までお大師様の書かれた真筆の文章だと思っていたからである。三宝院流賢深方の一流伝授では、御遺告二十五箇条は最奥秘の伝授として、最後に伝授されたものであるからである。

そして私も、平成十一―二年に高野山でその一流伝授の大阿を勤めさせて頂いているからである。その時には、偽作である事は知っていた。しかし、そのショック（衝撃《しょうげき》）は大きかった。二十五箇条には、「摩尼宝珠」の作り方など重要な口決《くけつ》が載《の》っていたからである。思うに、偽作された方は相当高位の方であったのだろう、と推察される。でなければ、あれだけの口決は書けないからである。

では一体、何のために書かれたのか。誰か利を得る者があったからであろう。上山先生は『空海』（一三三―五頁）の中に、「太政官符案并遺告」（全集二・七六九―七〇頁）を先ず取り上げられて、長谷宝秀師のこの遺告の文章は『性霊集』二巻の巻頭にある「沙門勝道山水を歴《へ》て玄珠《げんじゅ》を瑩《みが》く碑《ひ》」（全集三・四一一―六頁）と「縁起」類から語句を借用して綴られた文章と判定して、お大師様の真作ではないと退《しりぞ》けられた（『空海』一四七頁）。それでは上の「太政官符案」はどうなるのか。下の「遺告」が偽作なら、上も偽作と長谷師は断定された。上山先生も同じである。その理由については『空海』を見て頂きたい。

この「太政官符案」が偽作なら、御遺告二十五箇条（全集二・八八一頁）も、遺告真然大徳等（同・八一四頁）も、遺告諸弟子等（同・八二〇頁）も、遺誡（同・八六一頁、八六四頁）も皆、偽作となる。即ち「遺告はすべて偽作である」と結論される。

これを聞いた真言僧の反応は、一方は上山先生に賛意を表する改革派と、一方は学問的文献学的にはそうであっても、千年余りもお大師様の真筆と信じてきた人達の信仰心を傷つけたくない、という隠健派とに分かれた。従ってその結末はついていない。

私は昭和五十九年（御入定後千百五十年）の記念法会に当って、東方出版から『空海百話』なる拙著を出版して頂いたが、その中に「お大師様ご誕生を寿《ことほ》ぎまつる」（二一頁）、「お大師様は高野山に入定《にゅうじょう》された」（二二頁）との二編を御遺告の中から選出した。その時は、御遺告が偽作とは知らなかった。高野山大学で五来重先生から「御手印縁起は後世の偽作である」とは聞いていた。そこで前著の二編を重版の折に削除して頂き、お大師様の真筆の二編を加えて頂くようにお願いしている。浅学菲才のため、拙著を求めて下さった方に御迷惑をお掛けして申し訳ない次第である。どうか、これで御許し下さい。謹しんで御詫び致します。

それにしてもお大師様の御名を借りて文章を作るとは、不敬も甚しい。遷化なさってお大師様とお会いなさったら、何と言ってお詫びなさるのか。だから昔の邪心を懺悔して、正道に帰られるより外に道はないだろう。大それた事をしたものだ。不妄語戒を授ける人が嘘をついたのだ。教相も事相も伝記も変更しなければならなくなった。真言僧は総懺悔をして、敗戦後日本が立ち直ったように、新生真言宗として立ち直ってほしい。

「御遺告はすべて偽作と聞いて、改革派と隠健派とどちらですか」と聞かれたら、私は改革派に属すると答えるだろう。出来るだけ早くこの問題の決着を付けてほしいと望む者である。しかし思うに、この問題の解決には、長い年月を要する事だろう。

平成二十一年三月

著者しるす

佐 伯 泉 澄（さえき・せんちょう）
1924年　兵庫県に生まれる。
1956年　高野山大学卒業。
1990年　密教教化賞受賞。
2010年　逝去。
著　書　『弘法大師空海百話』（東方出版）
『弘法大師のみ教えを慕って』（高野山出版社）
『人は死んでも生きている』（高野山出版社）
『心の支えとなる名言八十八話』（たま出版）
『幸福に暮らす道しるべ』（高野山出版社）
『密教瞑想法』（高野山出版社）
『真言密教の霊魂観』（朱鷺書房）

弘法大師　空海百話 II　新装版

2009年（平成21年）5月21日　初版第1刷発行
2024年（令和6年）2月21日　新装版第1刷発行

著　者　佐　伯　泉　澄
発行者　稲　川　博　久
発行所　東　方　出　版㈱
大阪市天王寺区逢阪 2-3-2-602
電話(06)6779-9571　FAX(06)6779-9573
http://www.tohoshuppan.co.jp
印刷所　亜　細　亜　印　刷　㈱

乱丁本・落丁本はお取替えいたします。
ISBN 978-4-86249-452-8

弘法大師　空海百話【新装版】	佐伯泉澄	一、〇〇〇円
心経百話【新装版】	妣田圭子	一、二〇〇円
真言宗在家勤行講義	坂田光全	一、二〇〇円
真言宗常用経典講義	坂田光全	一、二〇〇円
真言宗法儀解説【新装版】	大山公淳	一、五〇〇円
行者日誌　虚空蔵求聞持法【新装版】	古梶英明	一、六〇〇円
加持力の世界【新装版】	三井英光	一、八〇〇円
陀羅尼の世界【新装版】	氏家覚勝	二、〇〇〇円
修法　心は神仏の通路である【新装版】	今井幹雄	二、〇〇〇円
高野街道を歩く	森下惠介	二、八〇〇円

＊表示の価格は消費税を含まない本体価格です＊